Ciad chlò-bhualadh ann an 2015 le
Ceòlas Uibhist Earr.
Taigh Gleus
Dalabrog
Uibhist a Deas
HS8 5SS

info@ceolas.co.uk
www.ceolas.co.uk

ISBN: 978-0-9934080-0-7

Dealbhadh agus Còmhdach le Blue Heron Creative
Clàr-dùthcha le Maria NicDhòmhnaill

Chuidich Comhairle nan Leabhraichean
am foillsichear le cosgaisean an leabhair seo.

Tha Ceòlas Uibhist a' faighinn taic bho
Bhòrd na Gàidhlig, Riaghaltas na h-Alba,
Comhairle nan Eilean Siar, Iomairt na Gàidhealtachd
's nan Eilean, agus Alba Chruthachail.

Clàr-innse

Buidheachas Dhealbh

'S iomadach duine agus buidheann a chuidich sinn ann a bhith a' siubhal dhealbh airson an leabhair seo. Bu mhath le Ceòlas taing a thoirt do dh'Urras Nàiseanta na h-Alba airson cead bàrdachd Sheonaidh Chaimbeil a chleachdadh agus airson nan dealbh à Tasglann Mhairead Fay Sheathaich agus cead an cleachdadh san leabhar. Taing shònraichte dha Ian Riches, Marcin Klimek, Fiona J NicCoinnich (Taigh Chanaigh) agus Magda Sagarzazu (Taigh Chanaigh).

Tha taing cuideachd a' dol gu Nellie Flanagan agus luchd-stiùiridh Taigh-tasgaidh Chill Donnain; gu Shona Ghrannd airson dealbhan à Tasglann an Dotair Robasdain agus cead an cleachdadh; gu Cailean MacIllEathain, Linda Gowans, Comhairle Siorramachd Obar Dheathain, Tasglann Sheòrais Washington Wilson (Oilthigh Obar Dheathain), agus Leabharlann Mitchell airson dealbhan às na tasglannan aca agus cead an cleachdadh.

Fhuair sinn tòrr taic bhon choimhearsnachd an Uibhist a Deas. Bu mhath leinn taing a thoirt do Raonaid is Raghnall MacFhionghain, Seonaidh Mac an t-Saoir, Seonaidh MacIlleMhaoil, Iain Eòsaph agus Iseabail NicDhòmhnaill. Bu mhath leinn taing a thoirt do Phòl McCallum airson comhairle, cuideachadh agus dhealbh. Tha taing shònraichte a' dol do theaghlach nan Caimbeulach air fad, air Taobh a Deas Loch Baghasdail agus ann an Sealainn Nuadh.

Facal-Toisich

'S ann le toileachadh mòr a tha mise, is mi nam 'Dheasach' cuideachd, a' cur fàilte air an leabhar àraid seo a tha a-nis air cruinneachadh cho mòr 's cho math a thoirt còmhla de dh'òrain agus de bhàrdachd Chaimbeulaich an Taobh a Deas. Lem chiad chuimhne bhite a' seinn cuid dhiubh aig na cèilidhean a bhiodh cho tric — saoil an robh iad cho tric sin?! — ann an Talla Naomh Pheadair. Ach 's e cuid gu math beag dhuibh a bhitheamaid a' cluinntinn, a rèir choltais. Bha ionmhas mòr, thuige seo, falaichte bho fhiosrachadh an t-saoghail mhòir.

Leis an leabhar seo, tha stòras cudromach de dh'òrain 's de bhàrdachd ionadail à Uibhist a Deas a-nis air an gleidheadh do ghinealaichean ri teachd (agus do ghinealach an là an-diugh cuideachd). Nach math agus feumail an obair àraid a chaidh a dhèanamh bho chionn ghoirid gus an cruinneachadh luachmhor seo a thoirt gu aire na coimhearsnachd againn, agus cothrom a thoirt dhuinn a bhith beò a-rithist ann an saoghal a dh'fhalbh… saoghal a bha aig amannan duilich agus doirbh, ach cuideachd saoghal a bha aighearach agus beothail le gàire 's le spòrs.

Co-dhiù a leughas sinn na h-òrain seo ri taobh an teine nar dachaighean fhìn, neo a dh'èisteas sinn riutha, 's dòcha air rèidio neo telebhisean, neo air an seinn 'beò' aig cèilidh ionadail, bheir iad dhuinn blasad air dòigh-beatha agus saoghal nach eil math a leigeil air dìochuimhn'.

Mar sin, tha mi fada an comain 'Caimbeulaich an là an-diugh', a thug seachad cead, fiosrachadh agus cuideachadh chum an tasglann prìseil a tha fon cùram a chraobh-sgaoileadh gu farsaing tron leabhar seo; tha mi a' toirt taing mhòr do Mhàiri Anna, ban-ogha Sheumais Iain, agus do Jo NicDhòmhnaill airson an dìchill agus an ùidh leis an do dheasaich iad an leabhar; agus tha mi taingeil do Cheòlas, a chuir am pròiseact seo air adhart anns a' chiad àite.

Tha mi glè chinnteach gum meas sibh gach rann a tha san leabhar seo gu mòr … agus nach gabh sibh dram beag na chois!

Mgr. Dòmhnall MacÀidh

Dalabrog, An Dàmhair 2015

6

Ro-Ràdh

Ged a tha ùidh air a bhith agam ann an òrain nan Caimbeulach o chionn iomadh bliadhna, b' e pròiseact anns an robh Ceòlas an sàs a chruthaich cothrom òrain le ochdnar san aon teaghlach seo a thoirt cruinn airson a' chiad uair. Cha chanainn gu bheil an cruinneachadh slàn fhathast ach aig an ìre seo tha na facail sgrìobhte sìos airson timcheall air 140 òran agus na fuinn aig mòran dhiubh air an lorg cuideachd.

B' e ainm a' phròiseict European Oral Singing Tradition (EOST), agus bha e air a ruith fo stiùir Runosong Academy an ceann a tuath Fhionnlainn.

Tha uallach air daoine as na dùthchannan a bha an sàs ann an EOST gu bheil na h-òrain a bha aig aon uair bitheanta am measg an t-sluaigh a' dol à bith agus nach eil cothroman aig daoine nach eil nan seinneadairean proifeiseanta òrain nan sgìrean aca fhèin ionnsachadh.

Am measg amasan Ceòlas/EOST bha òrain às na h-Uibhistean a chruinneachadh gus cuideachadh le bhith ga dhèanamh nas fhasa do sheinneadairean facail òrain a lorg agus òrain a bha ùr dhaib' fhèin ionnsachadh. Tha an leabhar seo na phàirt de thoradh na h-obrach sin.

Rugadh Seonaidh Caimbeul, Seonaidh mac Dhòmhnaill 'ic Iain Bhàin, air Taobh a Deas Loch Baghasdail anns an Ògmhios 1859. Caimbeulach de theaghlach ris an cante Caimbeulaich an Urrais a bh' ann air taobh athar, Giliosach air taobh a mhàthar. Mar a' mhòr-chuid de a cho-aoisean aig an àm, cha d' fhuair e mòran sgoil, agus, an dèidh greis a thoirt na bhuachaille, chaidh e chun an iasgaich.

Anns an leabhar bheag de dh'òrain Sheonaidh a dh'fhoillsich Fear Chanaigh ann an 1936 sgrìobh Iain MacAonghais, Iain Pheadair, a thug sìos mu cheud òran bho aithris a' bhàird:

"Aig amannan sònraichte dhen bhliadhna bhiodh e eadar an Àird an Ear agus Sealtainn ris an sgadan; agus nuair a thigeadh e dhachaigh bhiodh e ag iasgach an sgadain 's nan giomach 's leis na lìn mhòra air na grunnan aca fhèin. Agus treisean, nuair a bhiodh freagarrach, ris an fhearann air cruit athar ged nach e sin a' fearann a th' aige a-nist. Bhiodh e an àm a' gheamhraidh a' dol a Ghlaschu a dh'obair anns na gàrraidhean-iarainn 's an obair a' ghas."

Iain MacAonghais, Iain Pheadair, a sgrìobh mu cheud de na h-òrain aig Seonaidh Caimbeul bho aithris a' bhàird.

(Tasglann Dr Kenneth Robertson)

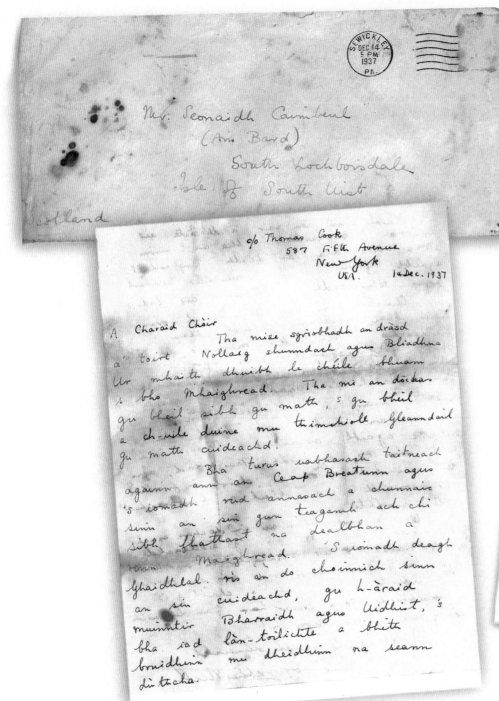

Litir bho Iain Latharna Caimbeul, Fear Chanaigh gu Seonaidh Caimbeul.

(Iain Iòsaph agus Iseabail Dhòmhnallach, Loch Aoineart.)

8

Tha a' bhàrdachd aig Seonaidh a' toirt sealladh iongantach dhuinn air dòigh-beatha ann an Uibhist deireadh an naoidheamh linn deug is toiseach an fhicheadamh linn. Mar a bhiodh dùil, rinn Seonaidh òrain mun iasgach agus mu chroitearachd agus mun bheatha chruaidh a bh' aig muinntir an ama sin. Tha e follaiseach gur e duine aig an robh inntinn gheur agus teanga gheur a bh' ann. Tha na h-òrain tric eirmseach ach chan eil leisg air a bhith a' magadh air fhèin. Dhèanadh e ceathramhan bàrdachd an seasamh nam bonn agus uaireannan cha mhòr an rud a ghluaiseadh e gu òran a dhèanamh — mar eisimpleir "An turas a bhathas a' fàgail orm gu robh mi cumail chàich gun tighinn as an taigh-òsta".

Ach bha taobh eile air Seonaidh cuideachd. Rinn e marbhrainn dhrùidhteach dha càirdean is eòlaich, òrain mun Chogadh Mhòr agus òrain chràbhach. Chionn 's gur e iasgair a bh' ann, chan eil e na iongnadh gun d' rinn e "Beannachadh na Sgoth":

A Dhia, beannaich an sgoth 's an seò
An crann 's nas còir a bhith mu chuairt dha,
Gach ulag 's gach ball 's gach acaire
'S na leig gaiseadh na taod guaille;
Siùbhladh i gu rèidh bhon chaladh
'S a tilleadh air ais biodh buadhmhor;
'S na leig i an gàbhadh no an cunnart
'S do ghràsan builich gach uair oirnn.

Bha Seonaidh pòsta aig Mairead "Peigi" Nic Phàrlain à Caolas Stadhlaigh is ged nach robh teaghlach aca bha an taigh aca na thaigh-cèilidh ainmeil. Anns an òran "Taigh a' Bhàird" thug Dòmhnall Iain MacDhòmhnaill luaidh air:

Nach iomadh seanchas is òran
A dh'èist an òige bhon aois
Taobh a' ghealbhain ded chòmhlaidh
'S an teine mònach na chraos.

Chaochail Seonaidh air an ochdamh latha den Ghearran 1947.

Rugadh Catriona, piuthar Sheonaidh, mu 1863 agus bha i pòsta aig Gilleasbaig MacDhòmhnaill, Gilleasbaig Sorcha, ann an Loch Aoineart. 'S e glè bheag de dh'òrain Chatrìona a tha air lorg ach tha an aon eirmseachd 's a tha ann an òrain a bràthar ri fhaicinn as an òran a rinn i turas a b' fheudar dhith a dhol a Dhùn Èideann dhan ospadal:

Nuair tharraing iad sìos mi air barra gam riasladh
Cha robh mise gun dìon is Dia os mo chionn.

Rugadh Iain Clachair, bràthair Sheonaidh, sa Chèitean, 1855. Bha e pòsta aig Màiri Chaimbeul, nighean Iain Ruaidh, à Loch a' Chàrnain, agus bha iad a' fuireach an sin airson greis an dèidh dhaibh pòsadh mas tàinig an teaghlach a dh'fhuireach gu Taobh a Deas Loch Baghasdail. Bha Màiri i fhèin math air seinn agus chlàr Mairead Fay Sheathach mòran òrain bhuaipe.

Bha Iain, mar a tha fhar-ainm ag innse, na chlachair, ag obair timcheall na sgìre, as an Eilean Sgitheanach, am Malaig agus as an Òban. B' e, mar eisimpleir, fear de na clachairean a thog Eaglais Bhàgh a' Chaisteil ann am Barraigh. Bu mhòr am beud nach eil barrachd òrain leis air lorg, oir tha an eirmseachd is an àbhachdas a th' ann an tòrr de bhàrdachd Sheonaidh ri fhaighinn ann am pailteas ann an òrain Iain. Seo, mar eisimpleir, dealbh a thug e air fhèin an dèidh dha cus òl:

Nuair a dhùisg mi anns a' mhadainn
Cha robh an cadal ach mar bha – .
Bha greim 'nam cheann 's nam chasan
'S cha b' e 'n stamag dad a b' fheàrr.
'S ann bha mi anns na *horrors*,
Ged 's dona dhomh ga ràdh
Is e bròg na coise deise
Rinn mi sparradh mun chois cheàrr.

Chaochail Iain aig 465 Taobh a Deas Loch Baghasdail air 25 Cèitean, 1934, aig aois 79.

Anns an ath ghinealach bha ceathrar de mhic Iain Clachair nam bàird. Dhan cheathrar, chan eil teagamh nach b' e Ruairidh, air an robh Ròideag agus "*An Case*" mar fhar-ainmean, air am b' eòlaiche daoine. Rugadh e ann an Loch a' Chàrnain air oidhche Nollaig, 1900. Mus robh e ach na chnapach, thàinig an teaghlach a dh'fhuireach gu Taobh a Deas Loch Baghasdail.

A rèir coltais bha Ruairidh math san sgoil. Chaidh a chur à Sgoil Ghearraidh na Mònadh gu Sgoil Dhalabroig far am faigheadh e foghlam aig ìre na b' àirde. Cha do dh'fhuirich e innte ùine mhòr sam bith agus mar iomadh balach Gàidhealach eile dhe linn, thog e air gu muir agus an obair ris am biodh e a' mhòr-chuid dhe bheatha.

B' e beatha chruaidh a bha aig seòladairean aig an àm, le uairean fada, droch bhiadh agus gainnead uisge air bhòidsichean a dh'fhaodadh a bhith cho fada ri bliadhna no còrr. Mar a chuir e fhèin e ann an òran a rinn e air tè de bhàtaichean Maclay:

'S gur e mis' tha gu tùrsach
'S i air a cùrs' dha na Stàitean,
Mi gun fhios a'm dè 'n ùine
Mum bi dùil rithe dhachaigh;
Mar tha cùisean cho cruaidh oirnn,
An t-uisge fuar a bhith glàist' oirnn',
'S gun mi a' faotainn san uair ud
Na chuireas cuairt air mo charcas,
Gam chumail glan.

Dh'innis an Caiptean Iain MacAoidh à Gleann Dail dhomh mar a bhiodh Ruairidh a' dèanamh òrain:

"Nuair a bhiodh e airson òran a dhèanamh, choisicheadh e mach air deac agus bhiodh e a' coiseachd air ais 's air adhart airson uair an uaireadair no mar sin, agus thigeadh e air ais agus an t-òran aige."

Chan eil mòran nach eil eòlach air "A Pheigi a Ghràidh", an t-òran a rinn Ruairidh do Pheigi Dhòmhnallach, Peigi Sheonaidh 'ic Dhòmhnaill 'ic Lachlainn, a rugadh an Rubh' Ghaisinis ann an 1911. Rinn e òrain gaoil cuideachd do Cheitidh Anna NicNeacail, bana-Sgitheanach a bha a' teagasg air Taobh a Deas Loch Baghasdail airson greis agus a bha a' loidseadh an taigh Chloinn Anndra.

Bha Ruairidh gu h-àraid ainmeil airson a bhith deas-bhriathrach, agus 's iomadh sgeulachd a bha air innse mu dheidhinn. Bha Ceitidh Alexander à Gleann Dail ag innse dhomh mu thuras a bha e ann an taigh-òsta Loch Baghasdail:

"An uair sin, 's e tocsaidean as am biodh iad a' faighinn leann. Agus feumaidh gu robh iad car trang, 's nach robh mòran aca airson an tocsaid a ruidhleadh a-mach no staigh, no càite robh iad a' dol ga chur.

'S cò bh' as a' bhàr ach Ròideag.

Chaidh iad a-staigh far an robh Ròideag, 's thuirt iad ris am biodh e cho math 's gun cuireadh e car dhan tocsaid còmhla riutha.

"'S mise, a shìorrachd," arsa Ruairidh, "a chuireas. Nach iomadh car a chuir i fhèin dhìomsa!'"

Tha an aon àbhachdas ri fhaicinn cho tric ann an òrain mar "Òran na h-Airship":

Cha bhi mi idir ga cheiltinn – bha mi fo eagal 's fo chùram,
'S bha mi ag ràdh nach b' e Freastal chuir an triop sa co-dhiù mi,
Is ged tha iomadach bliadhna bho nach robh mi shìos air mo ghlùinean,
Bhon a ghluais i bhon talamh cha d' rinn mi car ach ag ùrnaigh
Gu faighinn aist'.

Chaidh am bàta air an robh e àm a' chogaidh a chur fodha le *torpedo* agus, ged a shàbhail Ruairidh aiste, chaidh a ghoirteachadh is b' fheudar dha tilleadh dhachaigh. Dh'ionnsaich e dràibheadh agus thug e greis ag obair do mharsanta, Dòmhnall Fearghasdan. Ach nuair a chaidh a' mharsantachd sin a reic, thill Ruairidh gu muir.

Tha e coltach gur e seòladairean Leòdhasach a thug am far-ainm *"An Case"* air. Mar a dh'innis Iain MacAoidh dhomh:

"Bha meas mòr ac' air. Abair bith càite am biodh Ruairidh, nan cluinneadh iad gu robh Ruairidh as na Masons no an taigh-sheinnse eile ann a' Lunnainn, bha 'd a' cruinneachadh timcheall air. Agus bhiodh iad còmhla ris fhad 's a bhiodh iad ann am port."

Chaochail Ruairidh ann an Lunnainn ann an 1947 agus tha e air a thìodhlacadh ann an Uibhist.

A' cuimhneachadh air, thuirt Ciorstaidh Chaimbeul, bean Sheumais, a bhràthair:

"Bidh cuimhne aig a h-uile duine air Ròideag. Chluinneadh iad e a' seinn a-mach 's a-staigh a' rathad. Mur a biodh e a' seinn bhiodh e a' feadaireachd, 's bha e daonnan cho toilichte. Chan fhaca duine gruaim riamh air."

Tha òrain sa chruinneachadh seo cuideachd le triùir bhràithrean Ruairidh – Seumas, a chaochail air an treas latha fichead den t-Samhain 1980 aig trì fichead 's a dhà dheug, Aonghas Iain a chaochail air an treas latha den Fhaoilleach 1969 aig aois trì fichead 's a deich agus Iain a rinn a dhachaigh ann an Sealainn Nuadh.

Chan aithne dhomhsa aon teaghlach eile as a robh uimhir a' dèanamh òrain, 's ged tha ginealach an latha an-diugh caran diùid tha dearbhadh againn anns an òran mu dheireadh san leabhar nach do thrèig an tàlant an teaghlach.

Tha mi airson taing mhòr a thoirt do na Caimbeulaich airson an taic agus gu h-àraid do Mhàiri Anna a bha air ceud de dh'òrain a teaghlaich a thaidhpeadh, feadhainn bho leabhar Sheonaidh, feadhainn a thug i sìos bho chlàraidhean a b' aig an teaghlach. Obair mhòr agus ionmholta. Tha Dòmhnall Ruairidh is Dòmhnall Antony is Iain, Ruairidh Eàrdsaidh Sheumais is Ann agus an teaghlaichean air iomadh ceist a fhreagairt dhomh, mar a tha leithid Pòl McCallum, Flòraidh a mhàthair, Coinneach Mhansain agus a bhean, Flòraidh. Bha a h-uile duine ris na thachair mi sa choimhearsnachd an Uibhist a Deas fialaidh, cuideachail agus foighidneach. Tha mi gu mòr nan comain.

Thug pròiseact Ceòlas /EOST cothrom dhomh a dhol a Chanaigh a dh'fheuchainn ri lorg fhaighinn air mu leth-cheud òran le Seonaidh Caimbeul nach robh riamh an clò. Le cuideachadh deònach bho Magda Sagarzazu, an tasglannaiche a b' ann an Taigh Chanaigh, chaidh lorg fhaighinn orra agus tha sinn gu mòr an comain Urras Nàiseanta na h-Alba airson cead taghadh dhiubh sin fhoillseachadh. Tha taing cuideachd ri thoirt do Sgoil Eòlais na h-Alba agus BBC Radio nan Gàidheal airson cothrom èisteachd ri clàraidhean de chuid de dh'òrain nan Caimbeulach.

Bu mhath leam taing a thoirt do Dhòmhnall Iain MacLeòid agus Iain Dòmhnallach airson na rinn iad airson an leabhar a thoirt gu ìre agus don sgioba aig Ceòlas a bha cho taiceil anns a h-uile dòigh, gu h-àraid Màiri NicAonghais, Màiri Schmoller agus Liam Crouse. Mur a biodh an dealas cha bhiodh an leabhar seo idir ann.

Jo NicDhòmhnaill
Lùnastal 2015

Òrain le Seonaidh Caimbeul

Seonaidh mac Dhòmhnaill 'ic Iain Bhàin agus a bhean, Peigi.
(Tasglann Taigh Chanaigh)

Cha dèan cas thioram iasgach

Òran Àm an Iasgaich

Bha Seonaidh fichead bliadhna dh'aois nuair a rinn e an t-òran seo, agus e aig iasgach an sgadain air taobh an ear na dùthcha. Bha am bàta dà fhichead troigh 's a còig san druim, is trì siùil innte.

Gura mise tha gu cianail
An Ceann Phàdraig aig an iasgach –
'S mòr a fhuair sinn ann do mhìobhadh
Ged a dhèanamaid am barrachd.

Nuair a ràinig sinn an t-àite
An robh na mucan mòr' a' tàmhachd,
Thuirt e, "Tilg a-mach an tràil,*
'S gum bi i làn againn sa mhadainn."

Anns a' mhadainn moch Dimàirt, O,
'S ann oirre bha an coltas grànda,
'S chuir iad mise dhan druim-àrca
Gus na chaill mo làmhan an craiceann.

Nuair a fhuair sinn uil' air bòrd iad,
Chuir sinn ar guaillean fon *fhoremast:*
Chaidh e suas gun duin' a leònadh,
Mar a dh'òrdaich Rìgh nam Feartan.

Nuair a fhuair sinn air a dòigh i
'S ceithir chinn a-staigh san *fhoresail,*
Rinn sinn am *mizzen* a lòradh,
'S sheall i air an Òrd an Gallaibh.

A' dol seachad Inbhir Ùige,
Bha i an iar-dheas 's i na smùid às,
Bodach na curraice ga stiùireadh,
'S cha robh cùmhnadh aig' air a h-astar.

A' dol seachad Bàgh an Teampaill,
B' aognaidh a coltas san àm sin;
Sheas am bodach iomadh geamhradh,
'S thàinig car na cheann an là ud.**

'S mus do ràinig i Ceann Phàdraig
Cha robh guth air cràdh na làimhe,
Air eagal gun rachadh mo bhàthadh
'S nach fhaicinn gu bràth mo leannan.

Nuair a fhuair sinn chon na tìre

'S a bha an t-uallach far ar n-inntinn,

Thòisich a h-athair ri brìodal:

"An gabh thu Sine, 's gheibh thu 'ceannach?"

Ged a bha mi aotrom gòrach

'S mi gun airgead na mo phòca,

Smaoinich mi nach robh i dòigheil

Gu tarraing na mònadh dhachaigh.

Sin nuair a labhair a màthair:

"Tha i cho math air an t-snàthaid,

'S cumaidh i riut aran sàbhailt',

Gun aon fheàirdin chur sa cheannach."

Ach ged a bha iad cho beulach

Airson 's gum faigheadh iad san lìon mi,

Thuirt mi nach robh fhios dè dhèanainn

Nuair a bhiodh an t-iasgach seachad.

*tràil: a' chiad cheann a rachadh a-mach dhan chur lìon, agus an ceann mu dheireadh a thigeadh a-staigh innte.

**Thàinig car na cheann a' coimhead air fhiaradh air an fhairge, leis cho mì-choltach 's a bha i.

"Nuair a ràinig sinn am pier
Agus a fhuair mi air dìreadh
Mhionnaich mi nach tig an dìle,
A thiginn fhìn ga sealltainn."
Bàtaichean-iasgaich ris a' chidhe anns a' Bhruaich c. 1880.
(Comhairle Siorrachd Obar Dheathain)

Òran an Iasgaich

Air an latha thug sinn air tìr i
Airson a glanadh is a sgrìobadh,
Bha mi cho sona nam inntinn
'S ged bu rìgh san àm mi.

Fhuair sinn a nighe 's a glanadh
'S a dèanamh airson an rathaid,
'S dh'fhàg cho sleamhainn le peant i,
'S lainnir far gach ceann dhith.

Nuair a rinn sinn airson falbh às,
Cha robh againn dad a shoirbheas –
Dh'òrdaich mi, ged b' ann bhon ear-dheas,
Darranach a bhith am dhìth.

'S a' dol seachad Rubh' an Fhìdhleir,
'S ann a thòisich i air brìosadh;
Thug sinn bhuaipe na siùil-chinn
'S gun deach a trì sa *mhainsail.*

Nuair a bha sinn suas gu Lèaruig,
Thàinig i on tuath nar fàbhar;
Chuir sinn *gaff topsail* an-àirde
Is ghàireadh i gu teann leis.

'S ann a thuirt Bodach an Rìdhlidh,
"Thèid sinn a-staigh airson tìm ann –
Chì sinn ciamar a thig an oidhche,
'S gun an t-sìd' ach meallta."

Labhair an sgiobair an uair sin:
"Saoil an leig sinn chon a' chuain i?
Eagal orm gu fàs i cruaidh
'S nach buannaich i dhuinn Stronsaigh."

Bha sinn uile dèanamh sgeama
A leigte gu Sumburgh Head i,
'S an uair a labhair fear eile:
"Chan eil teagamh annsan."

Bhuain an *gaff topsail* air rànaich
'S i dol roimhe mar a b' àill leinn:
'S goirid a bha ise fàgail
Far nam Fair Isles dhuinn.

Nuair a fhuair i chon a h-eòlais
Far an robh i 'n tùs a h-òige,
Dh'aithnticheadh fear nach biodh na còir
Gun d' fhuair i 'n còrr de phudhar.

Leig a giuthas 's leig a darach,

'S leig a h-uinnseann 's leig a leamhan,

Leig a tàirnean 's a cuid lannan

Glag asta le aoibhneas.

Bha gach maide dhith 'n deagh dhòchas

Gun toireadh i dhachaigh beò sinn,

'S gu faicte fhathast ag òl sinn

An taigh-òst' a' Ghranndaich.

Ach leis na fhuair mi innte mhìobhadh

Ga pumpadh 's gu robh i dìonach,

B' fheàrr leam nach fhaca mi riamh i –

Rinn i liath rom àm mi.

Nuair a ràinig sinn am pier

Agus a fhuair mi air dìreadh,

Mhionnaich mi nach tig an dìle

A thiginn fhìn ga sealltainn.

Nuair a dh'inns mi sin lem bheul dha,

Rinn e 'n gnothach mar bu mhiann leam:

Thug e mo bhonnacha-sia dhomh

'S thriall mi far na Galltachd.

Òran an Duine Iarainn

B' e an 'duine iarainn' an capstan ann am bàtaichean-iasgaich. Canaidh na h-iasgairean Gallta 'iron man' ris, agus uaireannan 'machine'.

Hò-ro, 'ille, hao-o, 'ille,

    Hò-ro, 'ille, 's tu tha làidir –

'S e mo nàbaidh an Duin' Iarainn

    An àm bhith toirt nan lìon dhan bhàta.

Chan eil car nì mac tha 'n Gallaibh

Nach dèan am balach san *stern* dhuinn;

Ged nach riof e dhuinn am *foresail,*

Cuiridh e 'n crann mòr na àite.

Cha chluinn sibh e ag iarraidh còmhdach –

Cha chluinn, no cur bhrògan àrd air;

'S ann ann fhèin a dh'fhàs an cruadal –

Cha lathar le fuachd gu bràth e.

Ged nach biodh a bhrògan dìonach,

'S e nach iarr an cur gan càradh;

Cha bhi e gearain an dèididh –

'S ann aige tha an deud 's an càirean.

Chan fhaic sibh tric ann an shop e

Ag iarraidh lof – gur beag a chàil dhi;

Ged a bhios e tarraing lìon,

'S e 'n ola-mhilis biadh as fheàrr leis.

Ged bhiodh e trì fichead bliadhna,

Chan fhalbh fiacail às a chàirean,

'S ma chailleas e aona chùlag,

'S ann bhios dùil aca a chàradh.

Chuir iad mo nàbaidh ro ìosal

Ged 's e iarann bha na chnàmhan;

A-chaoidh cha chuirear fon an ùir e –

'S ann thèid iad lem rùn dhan cheàrdaich.

Ged thigeadh bàs air mo charaid,

Chan ann fon talamh a tha àite;

Ged a dh'fhalbhte leis air ghiùlan,

Cha bhi tùrs' air gin dha bhràithrean.

Iasgach a' Gheamhraidh

Obair a' gheamhraidh 's an acair
Tha 'n dèidh na lìn oirnn a shracadh –
Bha mi ga innse do dh'Eachann,
'S bha cheart naidheachd aige dhòmhsa.

Nuair a bha sinn fhìn ga leagadh,
Bha tuill orra, 's cha bu bheag iad –
'S ann a shaoileadh feadhainn eile
Nach robh 'n leithid san Roinn Eòrpa.

Thuirt Peadar, "Nach cuir thu snaoim air,
'S bi coma ma thig e innte;
'S thèid an sgadan, tha mi cinnteach,
Anns a' phìos tha math gu leòr dheth."

Gun tuirt Aonghas Beag an uair sin,
"Ma gheibh sinne grèim air chluais air,
Neo-ar-thaing nach tig e 'n uachdar
Ged tha e fuathasach breòite."

Gun tuirt Raghnall anns a' mhionaid,
"Fhuair e saod air a bhith giobach,
Ach ged tha e 'n-dràst' mar sin, chan
E a thinnead a dh'fhàg breòit' e.

"An oidhche bha e 'n cur mu dheireadh,
Bha na bioraich 's rudan eil' ann;
Nuair a chaidh e sa phroipeilear,
Rinn am preasan sin a shròiceadh."

Sgothan aig a' chidhe ann an Loch Baghasdail c. 1910.
(Cruinneachadh Linda Gowans)

An Turas a Dh'fhalbh Sinn à Caolas Stadhlaigh

Ochòin, a chiall, gur h-e mi tha cianail,
An seo gam riasladh aig Eilean Bhòlam,
'S a' ghaoth cho cruaidh a' tighinn far an fhuaraidh,
'S cha chùm iad suas i, 's chan eil e neònach.

Nuair a dh'fhalbh sinn à Caolas Stadhlaigh
'S e coltas bhlaomastairean a bha oirnne;
Gun tuirt MacPhàrlain, "Tha sibh ro dhàna,"
'S bha sinne càineadh an duine chòir sin.

Ach ged tha gaoth ann air choltas Faoillich,
Tha beachd gach aoin againn ga chur còmhla,
Gur h-ann tha daonnan gar cur nar caonnaig
An sruth ga slaodadh oirnn far na Sròine.

Ach 's ann thuirt Niall rium, air choltas mìothlachd,
"Chan eil thu dèanamh a' ghnothaich dòigheil,
A' togail chliabh agus i cho fiadhaich,
'S ma thig i 'n iar cha bhi sgeul ac' oirnne."

Gur h-ann thuirt Raghnall, "Nach èist thu, laochain,
Is sguir dhed bhlaomastaireachd gun dòigh ort –
Ma gheibh sinn innt' iad, a dh'aindeoin sìde,
Gun tèid i dìreach le sgrìob fon Òrdaig."

Cha tuirt mi fhìn sin, ach bha e 'm inntinn
Nach dèan e nì dhuinn 's e anns a' chòrsa,
Nuair shèid am brìos cho cruaidh ri fideig
'S i tighinn na mill far na Creige Mòire.

Ach nuair bu chruaidh' i, 's a dh'fhàg sinn bhuainn iad,
Gun do dh'fheuch sinn suas orr' e ann an dòchas
Gun glèidh i fuaradh 's nach tèid ar fuadach
Do dh'àite fuadain 's nach eil sinn eòlach.

'S am beul na h-oidhche, aig bun Loch Aoineart,
Bha coltas oillteil an iomadh dòigh oirr',
Na marcan-sìne tighinn on Chreig Aimhreit
'S a h-uile ceann a bh' againn còmhl' air.

'S an uair a ràinig sinn fhìn an t-àite
Thro iomadh gàbhadh a thàinig oirnne,
Gu robh na nàbainnean uile 'g ràitinn
Aig Garibaldi gu robh gu leòr ann.

'S nuair chaidh am buachaille chur fo ghualainn,
Ged bha i cruaidh, 's ann a thug e sròn ann,
'S bha sinne 'n uair sin air bheagan uallaich,
'S cha tugainn bhuam air a luach dhen òr e.

Ach bha sinne ùine fo mhòran cùraim
Le meud an t-sùghaidh nach cùm an ròp i,
Ach chaidh e dùbailte chur thron t-sùil aig'
'S gheibh an triùir againn cadal stòlda.

Òran na Regina

Oidhche bha Seonaidh a' buachailleachd nan lìon agus thàinig an *Regina* nam measg.

Nuair a chaidh iad a chadal,
'S ann a chuir iad a-mach mi
'S mi nam shuidh' air a' phlanca
A' cumail fair air na lìn.

'S bha 'n *Regina* san àm sin
A' cumail pìos an taobh thall dhinn –
An ath uair a sheall mi
Bha i nall leis a' ghaoith.

Chaidh sinn uile nar cabhaig
'S thòisich sinne ri tarraing,
Sinn a' sruthadh le fallas
Feuch am faight' an toirt innt'.

Ach, a Ruairidh, a bhodaich,
Bha thu shuas air a toiseach;
Fhuair thu buaidh air do chogais
'S rinn sinn dolaidh oirnn fhìn.

Chuir thu asta na bh' unnta
'S tu gan tarraing bhon ghrunnda,
Is thug sin damaiste dhuinne,
A h-uile lùb dhiubh mun druim.

Chan i a bha sinn a' gearain,
Ged nach d'fhuair sinn ar sgadan –
Bhiodh ar dùil ris an ath-oidhch'
Mura sracadh na lìn.

Is ged nach fhaighte gu bràth e,
Bhiodh ar dùil ris a-màireach;
'S ann ga ionndrainn a tha sinn
Bhon a tha e gar dìth.

'S mura biomaid cho càirdeach,
'S mi gun dèanadh do chàineadh,
Ach bheir mise dhut fàbhar,
Agus càch mar mi fhìn.

Ach nuair bhios mi gan càradh,
Bidh mi daonnan ag ràdha,
"Nach b' e duine gun nàire
A thug an tàire dhomh fhìn."

POLOCHAR INN, SOUTH UIST.

Taigh-òsta Pholl a' Charra c.1912.
(Cruinneachadh Linda Gowans.)

Òran na Sgothadh

Nuair a gheibh mise 'n t-òrdan
Anns gach dòigh mar as math leam,
'S a bhios an deilbh air a dèanamh
Air chor 's gu feuch mi sa bheairt i,
Leigidh mi feadh nan daoine
A h-uile smaointinn bhios agam,
Is nì mi ceathramhan bòidheach
Air fonn 'Òran na Feannaig' –
A h-uile fear.

'S e chuir m' inntinn gu gluasad
'S a dh'fhàg luasgan air m' aigne
Mu dheidhinn sgoth Dhòmhnaill 'ic Ruairidh,
O 's i chuala mi bha agam –
Ged a dh'fheuch iad rium fhìn i
Leis na clìcean 's na caran,
Bho thèid mise ga innse,
Bheir mi 'n fhìrinne ghlan dhuibh:
Cha robh iad ceart.

Dòmhnall mac Aonghais 'ic Iain,
Cha do thuig mise riamh e,
Dòmhnall Dona agus athair
Agus Calum an cliamhainn –

'S iad a rachadh gun dìcheall
Gus mo dhìteadh gu sìorraidh
Agus m' fhàgail sa phrìosan,
Ach tha cinnt aig a' Chrìosdaidh
Nach eil iad ceart.

Shumain iadsan gu cùirt mi,
Ann an dùil ri rud fhaighinn
Leis na caran 's na lùban,
Mar bu rùn leo bhith aca,
'S chan eil duine san dùthaich
A bheir sùil air a' cheartas
Nach fhaic soilleir gu leòr
Gura rògaireachd th' aca
Sa h-uile car.

Shumain iadsan gu fìor mi
Ann an sia puinnd 's deich tastain,
Is ged a bha iad ga iarraidh,
Dearbh cha b' fhiach i air fad iad:
Bha gu leòr aice dhà dhuibh,
'S bhiodh e pàighte le fear dhiubh,
'S bha e mòran na b' fheàrr leam
An toirt a Bhàin na MhacAsgaill
Tha 'm Poll a' Charr'.

Thuirt iad riumsa mun d' fhalbh i
Nach robh cearb air a carcas,
Gu robh i math ann am fairge,
'S bidh i ainmeil gu gearradh,
'S gun a leithid a' bhàta
An taobh seo Bheàrnaraigh Bharraigh –
'S ann a theab i mo bhàthadh,
Ach bho shàbhail mo bheatha,
Gu bheil mi ceart.

'S ann tha i coltach ri spàl
A bhiodh fo shnàth aig a' bhan-fhi'ch,
Na cinn cho biorach ri snàthaid,
'S a miadhain, dh'fhàg iad e farsaing –
'S mi nach iarradh dham nàmhaid
A dhol na dàil gus a ceannach,
'S cha chreid mise no càch
Nach ann tha nàdarrachd aice
Ri ciste-laighe.

Ach ged a bhiodh tu ga siubhal
Eadar Lunnainn 's an Òlaind,
Muile 's Grianaig is Glaschu
Agus Manainn 's an t-Òban,
Tiriodh 's Uibhist is Barraigh
'S na Hearadh is Leòdhas,
'S gann gu faiceadh tu fear ann
A leithid Chaluim is Dhòmhnaill,
Tha mise 'm beachd.

A dh'innse dhuibh gu bheil iad carach
An àm bhith ceannachd rud bhuapa:
Thuirt iad rium nach robh beud oirr'
Ach beagan sgrèidhidh is fuaghal,
Ach ged bhiodh inntese 'thàirnean
Na bheil aig Craig* 's na thàinig bhuaithe,
Nam biodh Calum ga saoirsneachd
Gum biodh an aoidein bhith buailteach
An iomadh bad.

'S e 'n sgeul tha cinnteach an-dràst' leam
Gum bi an càirdean an gruaim leam
Bho chionn a bhith ris a' bhàrdachd,
Ged rinn iadsan cho suarach;
Ach 's beag tha siud ann am shealladh-sa –
Thèid e seachad mum chluasan –
Is thoireadh iadsan an aire
Gu bheil mo theanga-s' air ghluasad
Gu cur a-mach.

Peter Craig, aig an robh bùth ann an Glaschu

An Turas a Bha Mi aig an Iasgach am Bàgh a' Chaisteil

Bha Seonaidh mu ochd bliadhna deug nuair a rinn e an t-òran seo is e aig iasgach an sgadain, aig bodach a mhuinntir Ghoillspidh. Fhuair iad còrr agus seachd fichead crann sgadain air an t-seusan ud.

Gura mis' a tha gu cianail
'S mi 'm Bàgh a' Chaisteil ag iasgach –
'S mòr a fhuair sinn ann a mhìobhadh,
Ged a dhèanamaid am barrachd.

Bhith falbh sa mhadainn Diluain
'S a' toirt a h-aghaidh air a' chuan
'S chan e sin a' chuid bu truaighe
Ach nach fhaigheamaid uair a chadal.

Chan fhaigheamaid fois no tàmh ach
Eadar còcaireachd is càradh,
'S air cho math 's gum biodh do nàdar,
Bhiodh fàth agad air bhith gearain.

Gur h-e mise tha fo mhìghean
Anns na h-Abh a h-uile h-oidhche,
'S ged a shèideadh i na siaban,
'S mi bhiodh anns an druim gan tarraing.

Tha mo bhasan 's tha mo mheòirean
'S iad nam builgeanan air tòcadh,
Uiread ri uighean na smeòraich,
'S their gu leòr rium culaidh-mhagaidh.

Chan eil duin' a tharraing lìon ann
Nach math a thogadh leinn fianais,
Gus an tàinig Duine Iarainn –
Fear nach cualas riamh a' gearain.

'S math a chuidicheadh e nàbaidh
'N àm tarraing an druim-àrca,
'S cho mòr 's gun dèan ise 'ghàirich,
Chumadh e na chràgan aig' e.

Sheasadh e gu socair ciùin is
Cha bhiodh leisge air 'n àm dùsgaidh,
'S nam faigheadh e dileag ùillidh,
Bhiodh e sunndach a' cur char dheth.

'S b' aigeannach gu dol mu chuairt e,

'S cha bhiodh leisg' air an àm gluasad;

'S iomadh fear a bheireadh cuach dha

A b' fheàrr leis na shuathadh ri lamhan.

Nam faigheamaid mar bu ghnàth leinn

San taigh-seinnse mar a b' àbhaist,

Cha bhiodh guth air cràdh na làimhe

Ag òl deoch-slàinte mhic Iain Ghasta.

"Gura mise a tha gu cianail
'S mi 'm Bàgh a' Chaisteil ag iasgach."
Iasgach an sgadain ann am Bagh a' Chaisteil mu thoiseach an fhicheadamh linn.
(Tasglann George Washington Wilson)

Eagal nam Bòcan

Ach, 'illean, biomaid sunndach,

 Bho chionn g' eil sinn còmhla,

Cha ghabh sinne cùram

 Ro mhùiseag nam bòcan;

Ach, 'illean, biomaid sunndach

 Bho chionn g' eil sinn còmhla.

Ged tha sinn sna h-Abhn,

An uair a thig an oidhche

Cha tog sinn ar ceann ann

Le amh'ras nam bòcan.

'S ann a thuirt Gilleasbaig rium,

"Nuair a gheibh sinn deisealachd,

Cuirear rud gun teagamh ann

An uinneag bheag nam bòcan."

Sin nuair a thuirt Pàdraig,

"Chan eil sinn ro shàbhailt'

Ma bheir iad làmh oirnn,

'S an t-àite cho rògach."

Gur h-ann a thuirt Mìcheal,
"Gura coma leam fhìn dhiubh
Mar bhios iad nan sìneadh
Gu h-ìseal sna frògan."

Thuirt Dòmhnall an uair sin,
"Na biodh ortsa gruaimean –
Gheibh sinn air am fuadach iad
Suas air feadh na mòintich."

'S ann thuirt Dòmhnall Iain rium,
"Ma tha iad cho iongantach,
Saoil sib' fhèin nach itheadh iad sinn,
'S fios gu bheil iad neònach."

Ge b' e gu dè theireadh iad,
Gun tugainn-sa freagairt dhaibh:
B' fheàrr leam cus a chleith orra
Na 'n t-eagal a bhith còmhl' oirnn.

Bhon 's mi bu shine dhiubh,
Bha mi cumail misneach unnt',
Ag ràdh nach eil gin ann,
Eagal crith a bhith nam feòil-san.

'S ged a tha iad mallaichte,
Gheibh sinn uisge coisrigte
Agus crathaidh sinn 's gach oisean e
Airson an cur air fògradh.

'S ged thug sinn an leabaidh oirnn,
Cha do sguir sinn fhathast dhiubh
Gu 'n tàinig an cadal,
'S chaidh barra-thairis air na bòcain.

Ma bhios do shìol agus do thodhar agad…

Òran nan Stamh

Tha an Ròdha air cladach Ghearra Bhailteas air taobh an iar Uibhist a Deas. Bha Seonaidh ann a' cruinneachadh stamh fad an latha agus a' fuireach ann an àirigh air an oidhche. Bha Raghnall is Dòmhnall ann an sgiobadh Sheonaidh, is ged a bha Niall Ruadh agus Ailean goirid dhaibh, bhiodh iadsan daonnan a' fuireach còmhla ann an àirigh eile. Ged a chuir Seonaidh an geamhradh seachad aig an obair, cha d' fhuair e ach aon ghinidh a thuarastal air a son. B' e an *wreck* bloigh soithich a chaidh air tìr bho chionn fhada. Bha darach agus giuthas innte, agus bha e glè dhuilich rud a thoirt aiste.

Gura mise tha gu galach,

'S mi ris na staimh anns an Ròdha,

'S mi gun sùgradh gun cheanal,

Ach fuaim na mara gam bhòdhradh;

'S ged a rachainn dham leabaidh,

Cha bhi an cadal ro stòlda,

Ach a' cluinntinn 's a' faicinn

Ann an aislingean neònach

A h-uile car.

Bidh mi daonnan a' bruadal

A bhith mu bhruachan a' chladaich,

A' coimhead sìos agus suas,

O, feuch bheil uabhas de staimh ann,

No bheil Raghnall is Dòmhnall

A' cur air dòigh gus an tarraing;

Ach an uair nì mi dùsgadh,

Bidh sinn nar triùir anns an leabaidh

Gun dol gu stamh.

Anns a' mhadainn 'n àm dùsgadh,

Bheir mi sùil chon a' chladaich

Feuch bheil stamh a' tighinn dlùth dhuinn

A-staigh dhar n-ionnsaigh no faisg oirnn,

'S mura tig iad dhan Ròdha,

Mar a dh'òrdaicheas Ailean,

Ged tha e duilich a dhìreadh,

Cha bhi sinn fhìn gum ghin againn

'S iad aig a' *wreck*.

'S fhada dh'fhairicheas mi 'n ùine

Gu 'n tig dhar n-ionnsaigh Disathairn',

Mar tha sinn cho mì-dhòigheil,

Gun dad a mhònaidh ach maidean;

Tha na pìosan sa shuas

A cheart cho cruaidh ris an darach,

'S mhill mi faobhar na tuaighe

'S mi ga bualadh 's ga cabadh

A' toirt rud às.

Mar tha 'n oidhche cho fada,
'S sinn gun aighear, gun sòlas –
Chan eil uiread 's na cairtean
Aig duine tha fantail san Ròdha;
Tha Niall Ruadh agus Ailean,
'S cha ghabh iad naidheachd no òran,
Ach an uair thig iad dhachaigh,
Mar bhios an cadal gan teòradh,
Cha dèan iad car.

'S ann a chanas iad fhèin rium,
"Siuthadaibh, m' eudail, gabh naidheachd
Fhad 's a bhios sinn nar dùsgadh,
'S cha bhi an ùine ro fhada" –
'S fheudar dhòmhsa mi fhìn,
Ged bhithinn sgìth fad an latha,
Gun gabh mi naidheachd no òran,
Is sinn a' còmhradh gun lagachadh
Air na staimh.

Ach mun tarraing sinn àsan
Suas gu h-àrd chon a' mhachair
Ann an aghaidh an t-siabain –
'S bidh e sgaoileadh bhor casan –
Is mun dèan sinne gàrradh,
'S air a bhàrr sreath a chlachan,
Ged a gheibheamaid pàigheadh,
Cha bhi aon fheàirdin dheth 'n-asgaidh,
Tha mise 'm beachd.

Chan eil am pàigheadh ro mhòr orr'
Airson gròt anns an t-slaite,
Ach mar tha sinne nar n-èiginn,
Dòch' gum feum sinn a ghabhail;
Bidh am Bàillidh 's am Maor
A' cumail dhaoine nam faiceall,
'S ma thèid aon fhear dhiubh ceàrr,
Gum measar càch mar am fear sin,
A h-uile fear.

Ach nam biodh fios aig a' Bhàillidh
A h-uile tàir tha mi faighinn,
'S e nach bitheadh cho fiadhaich
An àm bhith 'g iarraidh an *rent* oirnn;
Bheireadh esan dhuinn ùine,
Ged bhiodh a' chunntais a' seasamh,
Gus an tigeadh i 'n iar
'S gum biodh i spìonadh nan stamhan
Bhiodh anns na h-Abh.

Ach nam falbhadh an Dùltachd
'S gun tigeadh dlùth dhuinn an t-earrach,
Thigeadh bristeadh san t-sìde
Agus sìneadh san latha –
Tha mo dhòchas-sa daonnan,
'S gu bheil mi smaointinn gun stad air,
Gum bi mi 'n ath-bhliadhn' ag iasgach,
'S nach bi mi 'n crìochan ri Ailean
San Ròdha Ghlas.

Am Feamnadh

O, 's mise tha gu brònach on thòisich am feamnadh –
'S iomadh car gòrach bhios mo sheòrsa-sa leanmhainn,
'S chithear air deireadh cho beag 's a bhios do shealbh
Air tarraing a' chlèibh, ged as fheudar bhith falbh leis.

'S fhuair sinn mar fhasan or seanair 's or seanmhair
Nuair thig an t-earrach bhith teannadh ri feamnadh,
'S tha mise ag ràdh gum b' fheàrr bhith san Arm,
'S gu faigh thu do phàigheadh on Bhanrigh le airgead.

Ged tha sin cunnartach ma bhitheas na blàir ann,
Nuair thèid iad seachad, am fear a bhios sàbhailt',
Cha bhi dad aige ach togail a phàigheadh,
'S bidh e cho glan, 's cha bhi taxes no màl air.

Chan ionann idir e 's fear bhios a' feamnadh:
Bidh e fliuch, salach, a-mach ri droch aimsir;
Todhar sa chladach, 's bidh aige ri falbh leis,
'S mun tig Disathairne gabhaidh e searbh-bhlas.

Ged bhiodh an fheamainn sin ullamh a-màireach,
Feumaidh tu 'n uair sin bhith ruamhar 's a' ràcadh,
'S thèid thu dhan t-sitig, 's cha mheasail an t-àit' i,
'S bidh tu nas miosa na isean a' cheàird ann.

Ged bhios am fear sin a' fuireach sa chuaraidh,
Falbhaidh e aiste 's gabhaidh e cuairtean,
Sìos dha na Hearadh, 's do Bharraigh an uair sin,
'S tusa fliuch, salach, 's cha charaich 's cha ghluais thu.

"'S fhuair sinn mar fhasan or seanair 's or seanmhair,
Nuair thig an t-earrach bhith teannadh ri feamnadh;"
A' feamnadh ann an Èirisgeigh ann an 1963.
(Tasglann Dr Kenneth Robertson)

An Oidhche Bha Sinn a' Tarraing nam Maoisean 's a Dh'fhaillich Iad Oirnn

Nach sinne fhuair Disathairn' e,
'S cha b' annasach sin dhuinne:
Gan iomradh gus na dh'fhaillich oirnn
Gu faigheamaid a-null iad.

'S gun canadh càch gu faodamaid
Gach aon a thoirt a-null dhiubh,
Ach nuair a shèid a' ghaoth, a bhith
Gan slaodadh cha b' e sùgradh.

Bha dhà no trì no ceithir ann
'S tè eile leis a' chunntais,
'S dhèanadh sin a còig, agus
Bha mòran againn dhiubhsan.

'S thig Anna Ruadh an dòchas dhith
Nach tig i 'n còir na dùthcha,
Nuair a bhrist an ròpa oirnn,
'S gun deach an còrr dhan ghrunnd dheth.

'S tha Aonghas Bàn 's a mhaois aige
'N dèidh sgaoileadh anns na lùban,
Ach cluinnear ann an Ormacleit
Gun d' fhalbh i feadh na tiùrra.

'S an-diugh, ged tha an t-Sàbaid ann
'S e grànda dhol ga h-ionnsaigh,
Gun toir e leis an gràpa, 's gheibh
E màireach na nì ùr i.

Ach bhon a tha sinn sàbhailte
Le fàbhar Rìgh nan Dùlan,
Bu chòir dhuinn a bhith gàireachdainn
An àite bhith gan ionndrainn.

Òran an Innearaidh 's an Ràcaidh

An t-innearadh 's an ràcadh,
    An ràcadh 's an t-innearadh,
'S cho dona 's g'eil an ràcadh,
    'S e shàraich mi 'n t-innearadh;
An t-innearadh 's an ràcadh.

Sa mhadainn an àm dùsgadh
'S neo-shunndach a bhitheas mi:
Nuair dh'fhosglas mi mo shùilean,
Cha dùraig mi bruidhinn air
An innearadh 's an ràcadh.

Sa mhadainn an àm èirigh
Làn èislein a bhitheas mi,
A' smaointinn air a' chliabh,
'S chan eil miann agam idir air
Bhith 'g innearadh no ràcadh.

Ged bhiodh e gu Bliadhn' Ùir ris,
'S ann diombach dheth bhitheas e;
Cha ghabh e facal ùrnaigh,
Ach smùid aig' air mionnachadh
Dhan innearadh 's dhan ràcadh.

Cho dona 's g' eil an ruamhar,
Tha buaidh air tha iongantach:
Nuair a bheir thu cùl ris,
Cha tionndaidh thu tuilleadh ris –
Ach innearadh is ràcadh!

Mo chomhairle dhan òigridh,
'S do mhòran as sine na mi,
Sealltainn airson pònaidh
Mun tòisich an t-innearadh,
'S an t-innearadh 's an ràcadh.

"'S ann agam fhìn tha chas chrùbach,
Tha i math airson an tionndaidh."
Seonaidh Caimbeul ag obair le cas-chrom.
(Tasglann Taigh Chanaigh)

Òran na Coise-Cruime

B' e Niall nàbaidh eile a bha ag obair faisg air Seonaidh. Bha cas-chrom aige fhèin, agus cha robh e dona oirre cuideachd, ach b' e cas-chrom Sheonaidh a b' fhìor fheàrr. B' e Niall Mac Mòire an gobha a rinn an ceap; bha e math air an dèanamh fhad 's a bhiodh e air a dhòigh.

'S ann agam fhìn tha chas chrùbach,
Tha i math airson an tionndaidh,
'S chan eil clach air feadh na dùthcha
Nach dùisgeadh i às an àite.

Tha i cho math air a lùbadh:
Ceapa leathann, sgonnan ùr is
Calp' anns a bheil làn mo dhùirn, is
Chan eil cùmhnadh air i bhith làidir.

Ach nam faighinn mar bu mhiann leam,
Mala shocair le car fiaraidh,
Dh'fhalbhadh i cho math ri fiadh, is
Cha chùm an tè aig Niall oirr' fàireadh.

Chumadh i bristeadh ro chòigear
Ged a bhiodh iad taomadh còmhla,
'S ceap oirre rinn Niall mac Mòire,
'S fòghnaidh e gu Latha Bhràth dhi.

Chuir e cho math air a chèil' e
'S nach talaich duine fon a' ghrèin air;
Chuir e cruaidh mu chuairt dha dheud, is
Dh'fhàg e e cho geur ri ràsar.

A h-uile h-aon thig far bheil Seonaidh,
Nuair a sguireas e dha moladh,
Faighneachaidh e, "'N toir thu dhomh dhith
Greiseag bheag a-nochd no màireach?"

Canaidh a h-uile fear riumsa,
"An toir thu greiseag dhan chois-chruim dhomh?"
Saoilidh iad nach bi mi coibhneil
'S ga cumail à làimh mo nàbaidh.

Ged a ruigeadh i Dùn Èideann,
'S a dhol às a sin a dh'Èirinn,
Cha chluinninn-sa guth ma deidhinn
Gus am biodh i 'm feum a càradh.

Chan eil gin an taobh seo 'n Ìochdar
Tha cho math rith' air a dèanamh,
'S mhaireadh i dhomh ceithir bliadhna –
Ach 's e na h-iasadan a chnàmh i.

Òran na Buachailleachd

Gur h-olc a' chiùird a' bhuachailleachd,
Ged a tha i fuathasach feumail –
Cho math 's gum biodh an tuarastal
O, is suarach agam fhèin i.

Ach canaidh càch, "Nach socair dhut
Bhith 'd shuidh' air cnoc a' leughadh
'S na beathaichean mu chuairt dhìot,
'S cha bhi uallach ort gu sèid i."

Ach ged a tha i tèarainte,
Gun mhìobhadh an àm sèididh,
O, b' fheàrr leam fhìn bhith 'g iasgach
Ged a bhiodh an riasladh fhèin ann.

Na beothaichean cho mì-mhodhail,
'S cha till iad ged a dh'èighinn,
A h-uile h-aon a' falbh aca
Dhan arbhar 's iad an dèidh air.

Nuair bhios am feur gu 'n cluasan, is
Iad suas air an toil fhèin ann,
Gu saoilinn-sa nach gluaiseadh iad
Ged rachainn ruaig air chèilidh.

Ma bheir mi fhìn mo chùl riutha,
Gun ionndrainnich iad fhèin mi,
Gu falbh anns an liagaireachd,
'S iad feuch am faigh iad beum dheth.

Tha fear beag bìodach loireach ann,
'S ma leigear a thoil fhèin leis,
O, cha bhi tàmh no fois aige,
'S tha 'n donas air gu geumnaich.

Ach ged a gheibhinn prìs orra
'S mi fhìn dol chon na fèille,
Chan fhaigh mi sgillinn ruadh orra
Nach d' rinn mi 'luach a speuradh.

Imrich Ghearra-Bhailteas

Nuair a chaidh Gearra-Bhailteas a bhristeadh na chroitean, thug seo faochadh do chuid ann an Loch Baghasdail.

Is sinn tha sunndach air an astar
A' falbh a dh'ionnsaigh Ghearra-Bhailteas –
Fhuair sinn aotromachadh cheana
'S bidh am barrachd a' tighinn oirnn.

Is iomadh seann duin' agus cailleach
A tha an àm gus a dhol seachad
Ag èirigh an cridhe 's an aigne,
'S bidh iad fhathast mar dhaoin' òg.

Is mòr an t-aighear 's an toil-inntinn
Dhaibh a bhith faicinn is a' cluinntinn
A' dèanamh bhlastaichean gu h-ìseal,
Dol nam pìosan dha na neòil.

Clachan agus cnuic gan reubadh,
A' dèanamh àiteachan dhaib' fhèin ann;
Thionndaidheadh a' chòir on eucoir,
'S nì iad feum ma bhios iad beò.

'S nì iad arbhar is buntàt' ann
'S nì iad tuirneap agus càl ann –
Bidh a h-uile rud a' fàs dhaibh
Nuair bhios àsan air an dòigh.

Dh'fhalbh iad, sealgaireachd is iasgach,
Fraoch is muran gus an snìomh ann,
'S bidh a h-uile rud as miann leo
Gan riarachadh anns gach dòigh.

Is mòr an eunlaith a bhios aca,
Tunnagan is geòidh is cearcan,
Is iad a' lìonsgaradh sna claisean,
'S cha tig Sasannach nan còir.

Bidh iad anns gach gleann air buaile
Muigh leis a' chrodh-laoigh gan cuallach;
Bidh an caoraich dhaibh sna cruachain,
'S iad gam buachailleachd mun chrò.

Nam biodh tu gabhail an rathaid,
Chluinneadh tu mu bheul an latha
Nuallanaich nan laogh 's nan aighean,
'S cò leis nach taitneach an ceòl?

Nuair a chruinnichear iad nan treudan
Airson a dhol chon na fèille,
Gach aon dhiubh a' freagairt a chèile,
Fàgail às an dèidh nam bò.

Bidh pailteas de dh'ìm 's de chàise

Muigh aca sna glinn air àirigh,

'S chan eil coigreach thig dhan àite

Nach faigh bainne blàth ri òl.

'S e 'n aon rud tha iad a' gearain

O nach d' fhuair iad bho chionn fad' e,

Ach guma buan e air talamh,

Am fear a thug seachad a' chòir.

Chan eil crioplach no dìol-dèirce

Nach bi ag achanaich mu dheidhinn,

A' guidhe sonas dha fhèin

Nuair a thrèigeas e bhith beò.

Is fheàrr an fhìrinn na 'n t-òr

Òran a' Phosta

Chaidh Ruairidh Dòmhnallach, am posta, iomrall ann am monadh Ghleann Dail air an rathad chun an taigh-sgoile ùir, is litrichean aige chon a' mhaighstir-sgoile, Aonghas MacFhionghain à Cille Pheadair. Cha robh e riamh roimhe air a bhith air an rathad, oir bhuineadh e do thaobh an iar an eilein. A bharrachd air sin, bha ainm aige a bhith leisg!

'S ann tha sgeula na bochdainn an-dràst' feadh an Locha:
Gu bheil Ruairidh am Posta anns a' mhonadh air chall,
Gun do dh'fhalbh e le poc' aige mach dhan Taigh-Sgoile
'S nach b' aithnte dha ploc dhan mhonadh a bh' ann –
E cromadh 's a' dìreadh gu h-àrd is gu h-ìseal
Feadh lòn agus dhìgean, 's na mìltean dhiubh ann,
'S ged bhithinn ga innse, cha ghabhadh e sgrìobhadh
Na fhuair e de mhìobhadh a' dìreadh a-nall.

Nuair thàinig an uair, chuir e 'm poc' air a ghualainn
'S dh'fhalbh e gu h-uallach an uair sin dhan Bheinn;
A-mach Bealach Iain gu robh e cho cridheil
'S e 'g ràdha na chridhe, "Cha bhi mi fad' ann."
Aig Sgala na Cuinneig 's ann a thòisich am mulad,
'S cha chanadh e guth nam biodh buinnig dha ann,
'S e a-nis gu toirt fairis a-muigh fad an latha,
'S an uair thèid e dhachaigh, bidh 'n t-achmhasan ann.

'S ann a thubhairt a mhàthair, i fhèin agus Màiri,
"Bha sinne gad àraich nuair chaidh tu ann,
A-mach leis a' phàipear gu Aonghas mac Phàdraig,
Ach bha e ro nàrach leat fhàgail air chall;
On a bha e na ònrachd a-muigh anns a' mhòintich,
Gu faiceadh e mòran de stòiridhean ann
Bhiodh ag innse mu bhòcain 's iomadach seòrsa,
Ged a chanadh gu leòr nach robh 'm pòr sin sa Ghleann."

Tha mòran a' cantail, 's doirbh an cur às am barail,
Agus chuala mi cheana gu robh manaidhean ann,
Gum biodh iad sna machraichean 's sìos chon a' chladaich
Agus lìonmhorachd mhath aca mach feadh nam beann;
Tha daoine cho dàna 's gum bi iad ag ràitinn
Mun fheadhainn a bhàsaich gur h-iad a bhiodh ann,
'S nan inntinne luasgan ri linn 's mar a chual' iad,
'S gun fhios ac' an uair sin gu robh Ruairidh air chall.

Tha Seònaid ag ràdh gu fac' i gu h-àrd
Fear a' dìreadh air fàire nach b' àbhaist bhith ann;
Chaidh i air a glùinean, 's i 'g ràdha co-dhiù
Gur h-e fàidh às ùr a bha dùil aice a bh' ann;
Gun dh'èigh i bhean Sheonaidh i thighinn air a socair,
'S na dèanadh i tustar an-diugh air a ceann,
'S gun duine mu chuairt gus a chumail air fuadach –
'S nuair a thàinig e nuas, gur h-e Ruairidh a bh' ann!

'S ann thionndaidh iad fhèin, agus thuirt iad ri chèile,
"Bha sinne leinn fhìn 's sinn nar n-èiginn san àm";
'S gur h-ann a thuirt Seònaid gun cual' i bho h-òige
Gum b' àbhaist do bhòcain bhith còmhnaidh sa Ghleann;
Ach 's ann tha i cantail gu bheil e na barail,
'S an ùine cho fada, nach fhanadh iad ann,
Ach gum biodh iad air uairibh a-muigh mu Ghlaic Ruairidh
'S mu bhràighe na buaile a' bruachaireachd ann.

Nis, bhon a dh'fhalbh e gun nìchean a dh'aimlisg,
Tha chùis a' toirt dearbhadh gur cearbaiche bh' ann
Aig daoine bhith seanchas, 's ga chur air feadh Alba,
Gu feumadh iad armailt a chruinneachadh sa Ghleann,
'S an cur ann an òrdan aig daoine bhiodh eòlach
'S dham b' aithne an dòigh sam bu chòir dhaibh bhith ann;
'S nach gabhadh iad cùram, ged a thigeadh e dlùth dhaibh,
'S a chuireadh le fùdar gu chùl e gun taing.

Nuair a chualas san àite Ruairidh bhith sàbhailt',
Bha iad ag ràitinn gum b' fheàrr dhaibh san àm
Gun do dh'fhuirich iad sàmhach gun na h-uiread a dh'ràitinn,
Mun cluinneadh a mhàthair dad ceàrr aig an àm –
Gum biodh e ro bhuailteach a h-inntinn a ghluasad,
Gun nì na bu truaighe 's gun bhuannachd dhi ann,
'S cho dona 's g' eil Ruairidh, b' e sonas 's a' bhuaidh dhi
Gum biodh e mu chuairt air an uaigh aig a ceann.

Òran a' Ghrioglachain
(An Greusaiche, Nuair a Rinn E na Brògan Dhomh)

B' e an Grioglachan Seumas Wilson, an greusaiche a bhiodh aig Seonaidh an-còmhnaidh. Deagh ghreusaiche a bh' ann, ged a bhiodh feadhainn ga chàineadh is feadhainn ga mholadh. Bha e a' fuireach air taobh a tuath Loch Baghasdail.

Gura mise tha gu h-airsnealach,
'S mo chasan air an cràdh,
'S tha iad loma-làn ghearraidhean
Aig bloighean nach eil slàn;
Tha h-uile h-aon dhiubh riatanach
Air pìosan gus an dìonachadh,
Gun tacaidean no sìon unnta
'S car fiaraidh anns an t-sàil.

O, cluinnidh mise m' athair, 's e
Ri gearain mar tha càch,
'S MacCoinnich fhèin a' cantail ris,
"'S e phaidhir ud as fheàrr;
Gabh feadhainn sa bheil tacaidean,
'S cha bhi ort bonn a dh'aithreachas –
Gur gann nach dèan mi chantail riut
Gum maireadh iad gu bràth."

Marbhphaisg air na greusaichean,
'S cho lìonmhor 's a tha àd –
Tha h-uile h-aon cho breugach dhiubh
Gu sgeulachdan do chàch;
Ma thig thu mar a dh'òrdaichear
Disathairn' air an tòrachd-san,
Gum bi iad air an clòsaigeadh,
Gun stròic dhan leathar bhàn.

'S nam faighinn fhìn air m' òrdan,
Gur h-e dh'òrdaichinn san dàn
Gun cuirte null dhan Òlaind iad,
'S bu chòir an cur dhan Spàinn;
'S an Grioglachan a dh'fhuireach dhiubh,
Bho as e nì ceart a h-uile rud –
Gum biodh e feadh nan rionnagan
'S chan urrainn e dhol ceàrr.

Ach canaidh mise 'n fhìrinn,
Rud a dh'innseas mi do chàch,
Gun do rinn e paidhir bhrògan dhomh
'S cha deach e òirleach ceàrr;
Ged a dh'fheuchadh tu bho *phlate* iad
Gus an ruig thu sìos na deiridhean,
Chan fhaigh thu meang san leathar
'S chan eil deifear anns an t-sàil.

Tha fàgail aig a' Ghrioglachan
Nach eil aig gin a chàch:
Nuair a thig àm na Nollaig
Bidh na tomh'sean a' dol ceàrr;
Carson a bhios iad diombach dheth,
O dh'òrdaich Righ nan Dùlan dha,
'S nan toireadh iadsan ùine dha
Bhiodh cùisean cus na b' fheàrr.

Cha ruig iad a leas idir
A bhith ga dhì-moladh far chàich,
'S e cheart cho math ri h-aon aca,
'S math dh'fhaodte g' eil nas fheàrr;
Chan urrainn e bhith fritheilteach
Dhan h-uile duin' a ruigeas e,
'S mo bheannachd-s' aig a' Ghrioglachan
Ge b' e gu dè their càch.

Òran Raonaid

Chuir Raonaid, bana-mhaighstir Iain MhicGhilleMhaoil ann an Cille Bhrìghde an Ear, caol gu Seonaidh airson clèibh a dhèanamh dhi, ach dh'fhàs e bochd 's cha d' fhuair e cothrom air an dèanamh cho luath 's a gheall e. Cha robh ise an uair sin air a dòigh. Thug Raonaid trì lèabagan thuige nuair a thàinig i an toiseach a choimhead mu na clèibh.

Tha mise sgìth, trom, airsnealach –
O, 's fhada, 's fhad' on uair sin –
A' feamnadh leis a' bhasgaid
'S nach do dh'fhan dhith ach na cluasan.

"'S ged dh'ith am bàrd na lèabagan
Thug Iagan às a' chuan dhuinn,
Cha do rinn e idir cliabh dhomh
Mar a dh'iarr mi air an uair sin.

"Nuair thug mi far an t-sìomain iad,
Gam feuchainn, 's gum bu chruaidh iad,
'S ann thuirt mi fhìn ri Iagan,
'Tha iad brèagh' – an toir sinn bhuainn iad?'"

Thuirt Iagan air a shocair,
"Na bi coimhead air an cruaidhead,
'S ma ghabhas tu mo chomhairl'-sa,
Bheir thu am bodach ruadh leat."

Is, a Raonaid, sguir dhad sheanchas –
Gura fad' on dh'fhalbh an uair sin
O thug thu dhomh na lèabagan,
'S na toir am beul an t-sluaigh e.

Bha dùil agam, 's tu càirdeach dhomh,
Nach cluinneadh càch cho luath e –
Gun tug thu dhomh na lèabagan –
Ach 's e do bheul-sa ghluais e.

Nuair chuala mi gun d' dh'inns thu e,
Chuir e nam inntinn luasgan,
'S gum b' fheàrr leam na na lèabagan
Gu robh do bheul air fhuaigheal.

Ged a chaidh sinn far a chèile
Mu na clèibh, gum bi iad uallach,
Gun dèan sinn fhathast rèit' umpa,
'S nì mise 'n eucoir suas dhut.

A' Bhriogais a Chuir Ruairidh MacÌosaig, am Marsanta, Thugam

A' bhriogais a thug Ruairidh dhomh,
Gum b' uallach mi fhìn innte;
Nuair chuir mi mu mo chruachainn i
'S a thog mi suas le dìcheall i,
Gu robh i fada farsaing dhomh,
'S a cheart cho math 's a dh'innseas mi,
Bha h-uile h-aon a chunnaic i
Toirt urram dhi gu fìrinneach.

Ag ràdh, "Is math a rinn iad i,
'S cha d' fhàg iad grèim a dhìth oirre –
Nach neònach a bha tuairm ac' air,
Na bha mu chuairt a' chinn aice;
Bha h-uile nì cho deiseil dhaibh
'S cho soilleir air an inntinne,
'S chuir iad gu leòr a phutain innt'
'S cumaidh iad gu dìollam i."

B' e siud a' bhriogais fhasanta
Nach fhaicear anns an sgìreachd seo –
Chan fhaigh thu sìos na shuas gin
Aig duin'-uasal no duin'-ìseal dhiubh;
Gun do dh'fhàg iad leud sna h-osain,
Tha i coltach ris na h-èilidhean,
'S an àm bhith ga cur umam,
Cha bhi cuideachadh a dhìth orm.

Tha Ruairidh na dheagh mharsanta –
Sin beachd a th' agam fhìn air –
Agus chuir e briogais chean' thugam
Cho math 's a th' ann san rìoghachd sa,
Is i farsainn mu na glùinean
Nuair a lùbas mi gu h-ìseal iad,
'S ma bhios mi beò no maireann,
Gheibh mi seacaid *dhongaree* aige.

Nuair chuir mi fhìn ga h-iarraidh air,

Gum b' fhialaidh bha e uimpe rium:

Gun tuirt e ris an teachdaire

Gun bhith fada gun a lìrigeadh;

'S nam bithinn ùin' a' dileadh ris,

Cha ghabhainn leth a dh'iongnadh dheth;

Cha tug e guth air pàigheadh –

Gheibh mi dhà ach iad bhith dhìth orm.

Òran nan Glainneachan

"B' e Dòmhnall Iain (Dòmhnall Iain MacGhillFhaolain, fear a mhuinntir Bhaghasdail mu Dheas) fear a bha anns an dùthaich air chuairt ged a bha obair agus a dhachaigh ann an Lunnainn. Gheall e gun cuireadh e glainneachan gu Seonaidh cho luath 's a thilleadh e air ais. Agus ged nach d' fhuair Seonaidh riamh iad, mhol e iad mar a bha e na bheachd a dhèanamh ach e gam faighinn. 'S bha Seonaidh a' feitheamh nan glainneachan 's cha tàinig na glainneachan riamh. Bha e a' fuireach an àite àrd shuas is chitheadh e mòran seallaidh mun cuairt. 'S rinn e an t-òran mar gum biodh e air na glainneachan fhaighinn agus e a' foillseachadh dhan t-saoghal air fad na rudan a chitheadh e thro na glainneachan." - Iain Pheadair

Ged tha mi aig a' Charaidh,

'S nach eil mi carachadh bhuaip',

'S mòr a chì mi de shealladh

A-null air tarsainn a' chuain;

Chì mi Leòdhas 's na Hearadh

Ged tha iad car fada bhuam,

'S nach eil e iongantach leibhse

Mi bhith ga innse dhan t-sluagh?

Chì mi Rùm agus Canaigh

'S a-null gu fearann MhicLeòid –

Tha na Maighdeannan glana

Mar a chleachd iad bhon òig';

Ged nach do chuireadh dhaibh banais

Mar bu mhath leoth' air dòigh,

Cha do chaill iad an gèill dhith –

Tha sùil gach tè air an Stòll.

Chì mi Tiriodh gu mhullach
’S chì mi Muile nam beann,
Chì mi Colla nan creagan,
’S chan eil a leithid ach gann;
Nuair a bheir mi mo shùil dheth
’S gun a bhith nam rùn a bhith ann,
Chì mi suas gu Cinn Tìre
Nuair a bhios a’ mhuir lom.

Nuair bheir mi m’ aghaidh dhan iar,
Tha e na mhìorailte leam:
’S gann nach fhaic mise ’n t-iasg
Ach mi bhith ’m fianais nan tonn;
Chì mi truisg agus langan
Is mucan-mara nach gann:
Saoilidh mi gur h-e faileas e –
Chì mi barrachd ’s bhios ann.

O, ’s mòr a chì mi de shealladh
Thron a’ ghlainne a th’ ann
A chuir Dòmhnall Iain à Sasainn
Thugam dhachaigh a-nall;
Nuair a chuir mi rim shùil i,
’S i bhith dlùth air mo cheann,
’S gann nach fhaic mise ’n ùpraid
A tha ’n dèidh dùsgadh san Fhraing.

Òran Taigh an Rubha

Bhiodh bàtaichean le bathar agus aig aon àm bàtaichean-iasgaich a’ tighinn chon a’ chidhe aig Taigh an Rubha no an Taigh-Stòir. Ri linn Sheonaidh bha Taigh an Rubha aig dithis pheathraichean de Dhòmhnall Fearghastan.

Bhon a tha mise gun duine
Còmhla rium a nì dhomh cuideachd,
Nuair a tha mi gabhail mulaid,
Thèid mi Thaigh an Rubh’ air chèilidh.

Cha ruig mi leas a bhith fantail
Airson ’s gun èirich a’ ghealach:
Cha tèid mi iomrall san rathad –
Rinn mi roimhe h-uile ceum dheth.

Ged a tha i dorcha, ’n oidhche,
’S i cho uamhalta sna glinn seo,
Nuair a bheir mi leam an lainntear,
Mo dhà làimh dhiubh nach bi beud dhomh.

Ged a tha i ag ràdh umam
Gu bheil mi air fàs cho luideach,
Tha sin nàdarra dhomh cuideachd,
Tuisleadh a bhith tighinn nam cheum-sa.

Ged a shlaighdinn 's ged a thuitinn
Agus ged a dhèanainn tustar,
Mura biodh duine nam chuideachd,
Cha bhiodh guth air nuair a dh'èirinn.

Bhiodh sùil agam anns gach àite
Feuch am faicinn duin' air fàire,
'S ge b' e cò às a bhiodh àsan,
Dhèanadh iad gàire mum dheidhinn.

An Turas a Bhathas a' Fàgail Orm Gu Robh Mi a' Cumail Chàich gun Tighinn às an Taigh-Òsta

'S ged tha mi fàs aosta,
Tha m' inntinn a' fuircach aotrom,
Is ann a dh'fhalbhainn feadh an t-saoghail
Gu smaointich mi orm fhìn.

Nan tachrainn-sa is luchd-eòlais
'S a dhol rathad an taigh-òsta,
Mar a tha mise cho gòrach,
'S dòcha gun gabhainn a' *spree*.

Ged a bhios a' bhean a' trod rium
A chionn gu bheil mi car cosgach,
Chan eil e idir cho dona
Bhith gam thoileachadh fhìn.

'S gura tric a bhios i cantail,
Ged a rachadh càch dhan ghealaich,
Ciod thuige bhios mi gan leantail,
Dèanamh amadan dhìom fhìn?

"Tha do cheann a-nis air glasadh,
'S tu cho tuisleach air do chasan –
Shaoilinn gun tugadh tu 'n aire
Air eagal gu rachadh tu 'n dìg.

"Ged nach canainn-s' aona ghuth riut,
Tha fios agad g' eil mi duilich
Nuair a their a h-uile duine
Nach eil annad ach a' ghloidhc.

"Chan e idir tha gam lèireadh,
An rud a chanas iad fhèin riut –
Ge-tà, ma chluinneas a' Chlèir e,
Thèid thu fhèin a chur fo chìs."

"Èist, a bhean, 's bi sgur dhad sheanchas,
Air neo fàsaidh mise feargach –
'S tric a chluinneas sinn san t-searman
Cho cearbach 's a tha e dhuinn."

Mar tha na daoine cho neònach,
Bruidhnidh iad air rud nach còir dhaibh,
'S ged nach cuirinn ach rim shròin e,
Their iad gun do dh'òl mi pinnt.

Cha ruig mi leas a bhith cantail
Nach do dh'òl mi ach aona ghlainne;
Còmhdaichidh iad air mo mhala
Gun do ghabh mi dhà no trì.

'S e 'n rud a dhearbhadh a' chùis dhaibh,

Nam biodh iadsan air mo chùlaibh –

Nuair a rachainn air mo ghlùinean,

Dhèanainn ùrnaigh, shaoil leam fhìn.

Òran an Rathaid-Mhòir

'S e seo an t-òran mu dheireadh a rinn Seonaidh dhan rathad ùr a chaidh a dhèanamh a-mach gu Gleann Dail a Tuath.

'S guma buan sibh, a chàirdean – ,

'S math a dh'fhàg sibh an rathad

Mach on chùl gu taigh Pheadair,

'S chan eil teagamh nach mair e,

Ged tha beagan de chromadh

A-nuas gu tobhta bean Eachainn;

An uair a thèid meatal gu leòr air

Agus còta de ghreabhal,

Gum bi e math.

'S an uair a bhitheas e dèante

Mach air beulaibh nan taighean

Gu ruige taobh Abhainn Èubhard,

Chan eil feum dhuinn bhith gearain –

Bu mhath thuige sin fhèin e

Mura tèid e nas fhaide

Gu ruig an Taigh-Stòir –

'S e sin an dòchas a bh' againn –

Mun dèan e stad.

’S cha bhiodh cùisean cho cruaidh oirnn –
Thig an uair sin an t-earrach:
Ged a bhiodh sinn ga chàineadh,
Gur h-e ’s fheàrr th’ aca fhathast;
Gun tig bùidsear no dhà
’S thig an Tàillear is Ailean;
Thig gach duine bhios ann,
’S gun tig am bhan MacIllEathain
Mun dèan iad stad.

’S gheobh gach bodach is cailleach
A h-uile dad bhios a dhìth orr’:
Gheobh iad tì is tombaca,
Gheobh iad maidsichean ’s pìoban,
Ìm is siùcar is sòda,
Airson gun tòc e dha-rìribh –
Gheobh iad sin ’s grèim buntàta
Airson ’s gu faic iad bheil brìgh ann
Ma bhios e ac’.

Cha bhi iongnadh sinne bhith ’g ràitinn
Gun robh an t-àite gun rathad
Ach an t-siobhag bheag ghrànda
Bha mach gu h-àrd as a’ bhealach;
Dh’fhaodamaid bhith ga chàineadh –
Cha tig cars ’s cha tig each ann,
Ach a’ dol às an cnàmhan,
’S mur toireadh àsan an aire
Gun tuit iad dheth.

Tha chùis a-nist air fàs dòigheil
Bhon a thòisich an rathad,
’S feir e obair gu leòr
Dhan fhear tha deònach a gabhail –
Ma bhios slàinte is sìde,
Chan eil nì gus a bhacail;
Cha ruig e leas bhith na thàmh
Cho fad’ ’s a bhios grèighean an là ann
’S an solas geal.

Tha obair eile nam beòil,
Ach cha do thòisich i fhathast,
San dèan iad airgead gu leòr
'S gun cuir iad mòran mu seach dheth –
Mar a their iad sa Bheurla,
Gun dèan iad fhèin mar na factoraidh
Airson todhar a chiùradh
'S a chur a dh'ionnsaigh nan Gallaibh
Gu rud thoirt às.

Tha chuibhle nist an dèidh gluasad,
Ged as fhad' on uair sin a rag i,
'S on a chaidh i mun cuairt,
Chan e 'n car tuathal a ghabh i:
Bidh gach cùis air a riaghladh
Mar as miannach leibh fhathast,
'S ged bhithinn-sa 'n Tàlann,
Bu mhath leam àsan a dh'fhanadh
A bhith gu math.

'S beag a tha eadar gal is gàire

Na Meanbh-Chuileagan

'S mile marbhphaisg air a' chuileig –
Gura h-aimlisgeach an rud i;
'S b' fheàrr leam gu robh iad nam puta,
H-uile gin a th' anns an àite.

Tha iad cho nimheil 's cho neònach
'S gur h-ann a dh'itheadh iad beò mi –
Nam faigheadh iad mar bu deòin leoth',
Cha bhiodh òirleach dhìom air fhàgail.

Dh'itheadh iad mo cheann 's mo chasan
Agus tholladh iad mo chraiceann;
Thòisichinn an sin air at,
'S gur h-ann a chante culaidh-sgràth rium.

Tha mo bhusan 's tha mo ghruaidhean
Null gu ruige mo chluasan
Mar a mhill mi iad gan suathadh –
Tuigidh sibh cho truagh 's a tha mi.

Ged a thòisichinn ri smocadh,
Thigeadh e gu mòran cosgais –
Bidh iadsan a cheart cho dona,
'S gun an *dottle* air am màs.

Ged a gheobhainn maide 's sguab
Is dùil leam gun cumainn-sa bhuam iad,
B' fheàrr leam oiteag de ghaoith tuath
A chuireadh fuadach fo na tràillean.

Òran an Tàilleir Ruaidh

Chante 'tàillear' ri gamhainn a bhiodh ag ithe nan aodaichean.

Tha mo cheist air an Tàillear,
Ged feireadh càch Tàillear Ruadh riut,
Ach 's mi tha coma dhan ghlòir sin
Ma bhios tu dòigheil 's nach gluais thu.

Gu bheil Peigi ag ràdha,
Ma bhios an Tàillear a' gluasad,
"Chan fhan mi anns an àite
Mar bhios mo nàdar le luasgan."

Ach, a Pheigi, a ghalghad,
Sguir dhed sheanchas 's leig bhuat e,
Is ged a thigcadh i 'n car-dhcas,
Cha dèan i falbh air a luaithead.

Chuir mi ball fo beul agus
Chuir mi iarann gu fuaigheal,
'S ged a thigeadh am Faoilleach,
Gu bheil mi smaointinn nach gluais i.

Ged a chuirinn-sa connlach
Anns a' cheann a tha shuas dhith,
Nuair a thigeadh an geamhradh,
Gum biodh na gamhna dol bhuaithe.

Gun tuirt Peigi rium fhìn,
"Gur h-ann a chì mi a taobh throimhe,
Ach nam biodh còta dhan teàrr oirr',
'S mòr a b' fheàirrd' i bhon fhuachd e."

Ma tha an rud sin cho daor
Agus tha an saoghal cho fuath'sach,
Nan saoilinn fhìn i bhith dìonach,
Cha chuirinn sìon air a h-uachdar.

A' Chiad Tarbh a Fhuaireadh Riamh san Àite

"'S dà adhairc shìnte chiatach air,
Gun fhiaradh no gun lùbadh,
Gun ghiobag air a' bhian aige
Nach snìomhainn le corr-shùgain."
A' chiad tarbh air an Taobh a Deas.
(Dealbh le Pòl McCallum)

Gun d' smaoinich sinn gun èireamaid
Gu cur mu dheidhinn na cùise,
A dh'fheuchainn am faigheamaid tarbh
Nach biodh a' falbh na sgiùrsair.

'S an toiseach nuair a thòisich sinn
Airson am Bòrd a dhùsgadh,
Ag innse g' eil sinn feumach air,
'S nach dèan fear breun a' chùis dhuinn.

Ach fear beag laghach sìobhalta
Gun mhì-mhodh, gun don'-ionnsaich,
Bhiodh math airson nan dìgean
'S a bhiodh dìcheallach dhan ionnsaigh.

Gun do chuir na daoine còire
Bh' air a' Bhòrd ud sin dhar n-ionnsaigh,
'S gu bheil e nist a' còrdadh rinn
Cho math ri pòr na dùthcha.

Is chan eil meang am falach ann
Cho fad' 's as barail leamsa:
Tha e sìobhalta ri buachailleachd
'S cha ghluais e gu 'n tèid cù ris.

57

'S dà adhairc shìnte chiatach air,
Gun fhiaradh no gun lùbadh,
Gun ghiobag air a' bhian aigc
Nach snìomhainn le corr-shùgain.

Am pòr sin às an tàinig e,
'S na dh'àraicheadh bho thùs e,
Gum buin iad dhan Donn-Ghuaillean
Bh' anns a' bhuaile aig Cù Chùlainn.

Bu chòir dhuinn taing is duais thoirt dha
Na h-uaislean a thug dhuinn e –
A rìgh, bu mhath an airidh dhuinn
A bheathachadh gu sùghmhor!

Chan fhaigh sinn tarbh am-bliadhna bhuap'
Air taobh an iar na dùthcha;
Cha chòir dhuinn a bhith dìochuimhneach –
Cha robh iad riamh gar diùltadh.

Ged chuir iad cùl am-bliadhna rinn,
Chan fhiach dhuinn a bhith diombach:
Chan urrainn iad gar riarachadh
Le lìonmhorachd nam brùidean.

Call nan Cearc

B' e seo a' chiad tòiseachadh a bha aig a' ghalair air an taobh seo, agus dh'fhalbh mòran dha na cearcan leis. Cha robh iad a' faighinn leigheas air idir. Bha e na chleachdadh anns an àite, nuair a bhiodh banais ann, pailteas chearcan air an deasachadh gu grinn a bhith air a' bhòrd. 'S e sin caoidh a bha aig an fheadhainn òg orra – cha ghabhadh banais cheart a dhèanamh gun na cearcan a bhith pailt.

'S ann an seo a tha 'n seanchas,
'S e air falbh feadh gach baile,
Eadar bodaich is pàistean,
'S gu seachd àraid aig mnathan,
Is aig nìghneagan òga
'S iad an-còmhnaidh a' gearain –
Ged nach canadh iad riums' e,
Is mòr an ionndrainn a th' aca
Air call nan cearc.

Tha na mnathan gu tùrsach
'S chan eil sunnd air an aire:
"Dè gheibh tì dhuinn no siùcar
'S cha robh cùmhnadh againn roimh' air?
Bha na h-uighean cho lìonmhor –
'S ann a lìonadh iad basgaid'
A-nis gun ghin dhiubh ri fhaotainn,
Mar a dh'fhaodas mi chantail,
Le call nan cearc."

Chluinninn fhìn feadh a' gheamhraidh
Aig an àm an robh sneachd ann,
Nuair bhiodh rudan car gann, gun
Dad ann airson fhaighinn:
"Stadadh sibhse gu 'n tòisich
An fheadhainn òg ud as t-earrach" –
Chan eil iad idir cho lìonmhor
'S a bha iadsan am barail
Le call nan cearc.

Thachair dithis an-dè rium
'S mi dol ceum air an rathad,
'S iad a' bruidhinn ri chèile,
'S gu robh tè ac' a' cantail,
"Tha 'n oidhche gheamhraidh cho buan,
'S chan eil uaireadair agam,
'S chaill mi coileach Didòmhnaich
'S cha chluinn mi chòmhradh mun fharadh
An lùib nan cearc."

Thuirt an tèile an uair sin,
"Ged tha uaireadair againn,
'S mi nach ionndrainneadh bhuam i
Ged a bhuailte mun bhall' i –
B' fheàrr leam eireag no dhà
A fhuair am bàs leis a' ghalair;
Gur h-e as duilghe dhuinn fhìn
Nach fhaigh sinn linn eil' thoirt dhachaigh
Le call nan cearc."

Ach ged bhiodh tunnagan lìonmhor,
'S tha iad brèagha rim faicinn,
Is cha tàinig galair nan còir
Airson am fògairt à fasan –
Ged a bhiodh an t-àite dhiubh
Uile làn chon a' chladaich,
Cha leig iad idir air dìochuimhn'
Na bha de dh'eunlaith mu thaighean
Ro chall nan cearc.

Chanadh daoine gun dòigh
Gur h-ann bu chòir iad bhith ainneamh,
Gun bhith milleadh an arbhair
'S a' dèanamh aimlisg mu thaighean,
Ach a-nis on a dh'fhalbh iad
'S nach eil lorg air am faighinn,
Gun can na marsantan fhèin
Gur mòr an eucoir a thachair
Le call nan cearc.

Chaill a' bhean agam fhìn iad,
'S tha i dìteadh na dh'fhan dhiubh,
G' eil a h-uile gin làn dheth
'S gu faigh iad bàs oirre fhathast;
Thuirt mi fhìn leis an luath-bheul,
"Ciod thuig' an truaigh' tha thu gearain?"
'S ann thuirt i rium, "Fuirich sàmhach,
'S gur gann gum pàigheadh an gamhainn
Dhomh call nan cearc."

O, tha chùis mar a tha i
'S gu bheil àsan cho ainneamh,
Cuiridh sinne sa phàipear
Mar a thàinig an galair;
Cruinnichidh mnathan na dùthcha
Airson cunntais thoirt seachad –
'S chan eil mòran rin àireamh
O Loch a' Chàrnain gu Smeircleit
Le call nan cearc.

Nuair a chuala luchd-òrdain
A bh' air a' Bhòrd mar a thachair –
Gun do chaill iad gu lèir iad
'S nach d' fhuaireadh lèigh air a' ghalair –
Chuir iad uighean dhan ionnsaigh,
O bha an Crùn ann am barail,
Nam faigheadh iad beagan ùine,
Gum pàigh iad dùbailte fhathast
Dhaibh call nan cearc.

A h-uile gin tha gun phòsadh

'S iad an-còmhnaidh a' gearain

Gum bi cùisean mi-dhòigheil,

Ged a thòisicht' air banais –

Chan eil coileach san àite

Nach d' fhuair am bàs leis a' ghalair,

'S gun can na h-ìghneagan òga,

"Gur h-iomadh dòigh air an gearain

Sinn call nan cearc."

Ciorstaidh Ruadh a' biathadh nan cearc.
(Tasglann Taigh Chanaigh)

Òran Rùda an Tàilleir

Nuair a bha e fhèin is rùda Sheumais san Eilean Iasgaich.

Airson na sìth a bh' ann o shean,

Airson an t-sìth a dhèanamh,

Gun òlainn cuach de mhac na Braiche

Airson an t-sìth a dhèanamh.

Ach ma chailleadh rùda 'n Tàilleir

'S gu bheil e ga iarraidh,

O! ged nach innseadh iad gu bràth e,

Chuir an tràlair crìoch air.

Nuair a chunnaic iad air tìr e,

'S cinnteach gu robh miann ac',

Gum b' fheàrr leo gu robh e innte,

'S cha dèan smèideadh sìon air.

Ach rinn iad sgeama nach robh dòigheil –

Geòla chur ga iarraidh –

'S an uair a fhuair iad thoirt air bòrd,

'S e còcaire thug am bian dheth.

Bha e math is bha e mòr –

A leabhra, bha e brèagha!

Tha fios ann gu dè rinn a chur

A bruid a bhith cho ciallach.

Ach 's ann a thuirt Aonghas mac Dhòmhnaill,
"'S gòrach mi toirt sìon dhut,
'S nam fàgadh tu e air a' bhràighe,
Cha do bhàthadh riamh e."

Nach neònach leam thu fhèin, a Thàilleir,
'S na pàistean air am pianadh,
'S gun fhios agad nach deach a bhàthadh
Rathad an Eilein Iasgaich.

Fhuaireadh an ceann aige am Pabaigh –
A chasan, cha robh sgeul orr';
Mura biodh am *brand* san adhairc,
Bhiodh tu lagh gu sìorraidh.

Ged a bha iad ann le chèile
Aca fhèin gu feurach,
Nach ann a bha *lucky* rùda Sheumais
Nach do dh'èirich sìon dha.

Far an càirich duine a leabaidh, 's ann a laigheas e

Òran na Tì (nuair a dh'fhàs an tì gann àm an Dàrna Cogaidh)

Nuair bhios mi leam fhìn,
Bidh e tighinn fa-near dhomh:
Am faighinn tì is siùcar,
Tionndaidhidh e mo stamag.

Sa mhadainn an dèidh dùsgadh,
Bheir Peigi gam ionnsaigh
Cupa tì gun siùcar,
'S cha dùraig mi fhaicinn.

Nuair a bheir mi sùil air,
Canaidh ise riumsa,
"Feuch nach bi thu diombach –
Chan eil siùcar againn."

Canaidh mi an uair sin,
"Dearbha, cha bhi mi gruamach –
Ma gheibh sinn Diluain e,
Nì e suas na chailleadh."

Ged a dh'innste a Sheumas,
Cha toir e cus gèillidh
Mar tha mi nam èiginn
Le cion èisg is bainne.

Their e rium an-còmhnaidh
Rud nach eil cho neònach:
Nach urrainn e mòran
Thoirt dhomh seach na *rations*.

Ged bheireadh e dhòmhsa
Rud beag nach bu chòir dha,
Ma chluinneas an còrr e
Tòisichidh am banal.

Tha na mnathan còire
Toirt a' bhainne dhòmhsa,
Gach aon dha luchd-eòlais,
Eadar Seonaidh 's Peanaidh.

Nuair a thig Tòmas
A h-uile Didòmhnaich,
Bidh botal na phòca,
'S bidh an còrr aig Maggie.

64

Òran an Tombaca (nuair a theirig e)

O phìob thombaca,
Cuir a-mach do cheò –
Seall am faic thu tighinn
Fear a' chridhe mhòir;
O phìob thombaca,
Cuir a-mach do cheò.

'S mise tha fo airsneal –
Theirig an tombaca;
B' fheàrr leam gu robh cairteal
Agam dheth nam dhòrn.
O phìob thombaca,
Cuir a-mach do cheò.

'S ged a gheibh mi m' dhìnnear,
Gum bithinn fo mhìghean
A' faicinn na pìoba
Na sìneadh air a' bhòrd.
O phìob thombaca,
Cuir a-mach do cheò.

Ged a rachainn ga h-iarraidh
'S a' toirt air mo bheulaibh,
'S ged chuirinn nam bheul i,
Cha dèanadh i ceò.
O phìob thombaca,
Cuir a-mach do cheò.

'S nan saoilinn gu faighinn
Nas lugha na cairteal,
Dh'fhalbhainn chon a' chladaich
Aigeannach gu leòr.
O phìob thombaca,
Cuir a-mach do cheò.

Dh'atharraicheadh cùisean
Seach mar a bha dùil a'm –
Dh'fhàsainn-sa cho lùthmhor,
Sunndach mar ghill' òg.
O phìob thombaca,
Cuir a-mach do cheò.

Feumar tighinn às aonais,
On tha sinn a' smaointinn
Nach eil e ri fhaotainn
'N taobh-sa 'an Druim Mhòr.
O phìob thombaca,
Cuir a-mach do cheò.

'S dh'fhalbhamaid ga iarraidh,
Ged a b' ann dhan Ìochdar,
'S ruigeamaid an Fhiacall –
Sin am miann a th' oirnn.
O phìob thombaca,
Cuir a-mach do cheò.

Pìob is bogsa snaoisein –
Cha tig sinn às aonais;
B' fheàrr leam e na 'n t-aodach
Nuair bu daoir' a' chlòimh.
O phìob thombaca,
Cuir a-mach do cheò

Pìob is clobha 's èibhleag
Is tombaca toinnte –
Bidh na fir ga fhaighneachd
San taigh-sheinns' ag òl.
O phìob thombaca,
Cuir a-mach do cheò.

'S nan tigeadh am bàta
A bhiodh ga thoirt dhan àite,
Gheibhinn fhìn a-màireach
E aig Ailean Mòr.
O phìob thombaca,
Cuir a-mach do cheò.

Gheibh sinn gach nì dh'fheumas,
Pìob is clobha 's èibhleag,
'S anail gus an sèideadh,
'S bidh an gleus air dòigh.
O phìob thombaca,
Cuir a-mach do cheò.

Òran nan Stocainnean

Tha h-uile tè dhem stocainnean a-nochd am feum an càradh,

Tha h-uile tè dhem stocainnean a-nis air fàs cho fosgailte,

'S cha mhòr nach rachainn tromhpa mur b' e socaireachd mo nàdair;

Tha h-uile tè dhem stocainnean a-nochd am feum an càradh.

'S tha h-uile tè dhiubh 's toll oirre, 's gur buileach dh'fhalbh an ceann aiste;

Cha robh iad riamh cho gann agam – 's e th' ann ach culaidh-nàire;

Tha h-uile tè dhem stocainnean a-nochd am feum an càradh.

'S an tè nach eil an taobh aiste, tha pìos a dhìth a' chùil aice,

'S na h-òrdagan 's na lùdagan, 's gun lùb dhiubh air an sàilean;

Tha h-uile tè dhem stocainnean a-nochd am feum an càradh.

'S gum bi gach aon a' cantail rium nach b' fhiach a chaidh an dath orra –

Bu choma leam nam maireadh iad ged bhiodh an dath bu ghràind' orr';

Tha h-uile tè dhem stocainnean a-nochd am feum an càradh.

'S ma thachras duin' thig còmhla rium, cha chuir mi dhìom na brogan,

Mar tha h-uile tè 's an t-sròn aiste, 's gun toir iad dhòmhsa nàire;

Tha h-uile tè dhem stocainnean a-nochd am feum an càradh.

'S ma thachras duin' thig faisg orm, gu saoil e gur ann breac a tha 'd –

Gun toir e greis a' beachdachadh 's an craiceann-sa tro phàirt dhiubh;

Tha h-uile tè dhem stocainnean a-nochd am feum an càradh.

Is ged a bhiodh inc is peann agam, cha chunntainn cia mheud toll th' orra,

'S cha mhòr nach eil mi coingeis gu dè 'n ceann a bhios gu h-àrd dhiubh;

Tha h-uile tè dhem stocainnean a-nochd am feum an càradh.

'S mo bheannachd-s' aig an nìonaig a chàireadh iad 's a dhèanadh iad,

'S a bheireadh pàirt do dh'Iain dhiubh – 's a chiall, nach robh mo làmh riuth';

Tha h-uile tè dhem stocainnean a-nochd am feum an càradh.

Òran a' Pheinsean

'S iomadh fear a bhios ag ràdha,
Mar a tha e cho falamh,
Nach e 'n cosnadh a theirig?
Chan eil ceilp 's chan eil stamh ann;
Thèid iad sìos far bheil Ruairidh
Is gheibh iad cuaraidh no meatal,
Is b' e sin obair na truaighe –
Cha bhithinn suas leis aon latha
Gu 'n teichinn às.

B' fheàrr leam fhìn a bhith 'g iasgach,
Ged bhiomaid riaslach air uairibh:
Fliuch a dh'oidhche 's a latha
An sgor sa chladach no 'n uaimh;
Nuair a thigeadh a' mhadainn,
Bhiodh rud againn no bhuainn;
Nuair a bhiomaid greis san taigh-òsta
Bhiodh dòchas an uair sin
A cheart cho math.

Is mòr an cothrom a thàinig
Seach nuair a bha mise ag iasgach;
Cha robh socair no tàmh ach
Anns a h-uile h-àite ga iarraidh;

A' cur nan lìon 's ris an fhaochaig,
'S a h-uile h-aon dhiubh cho riaslach
Seach falbh a dh'iarraidh a' pheinsean
A h-uile madainn Dihaoine
Ach mi bhith gu math.

Is mòr an cothrom 's an t-saoirsne
A th' aig seann daoin' anns gach àite
Nuair a fhuair iad am peinsean,
'S e 'n dèidh a cheangal gu bràth dhaibh;
Nuair a dh'fhàsas iad aosta,
'S nach bi h-aon dhiubh ro làidir,
'S tha e math cuideachd dhan òigridh,
Ma bhios iad còmhla rin càirdean
Nuair bhios iad sean.

Chan eil bodach no cailleach
A tha eadar Arainn is Cnòideart,
Tha eadar Ceann a Deas Bharraigh
Is Caol na Hearadh is Leòdhas,
Nach bi tric air an glùinean,
'S iad ag ùrnaigh gu deònach
Airson a' chiad fhear a dh'èirich
Gu cur mu dheidhinn 's a thòisich
Ri thoirt a-mach.

Dh'fhàg e meas air na bodaich,

'S thug e socair do chailleachan,

Ged a bhiodh iad car oglaidh

A-null mu oirean a' ghealbhainn;

Nas lugha na dh'fhàsas iad pròiseil

A' cumail còmhstri ri seanchas,

Ag ràdh, "Fhuair mise am peinsean,

'S ann bhios tu agam nad shearbhanta" –

Sin am beachd.

Nuair a thèid thu dhan bhùthaidh,

Bidh do shùil gu dè a chì thu –

Chan eil cuimhn' air an diùideachd

A chùm fad ùine thu cho ìseal;

Bidh am marsanta deònach

Bhith riut an-còmhnaidh am brìodal,

Nuair a chì e na bhios agad

A bhuinn dà thastan, 's e cinnteach

Thu rud thoirt leat.

Is mòr a dh'atharraich rudan

Seach mar a chunnaic mi fhìn iad

Bho chionn trì fichead bliadhna,

'S cha chan mi sìon ach an fhìrinn;

Cha robh *dole* ann no peinsean

A gheibheadh dad a bhiodh a dhìth ort

Gu 'n tigeadh latha na fèilleadh,

Ach gu dè mar a bhiodh

Mura creic thu an damh.

'S iomadh rud bha às do dheaghaidh

Gad chumail fodha gun dìreadh,

Ged bhiodh prìs air na gamhna

'S gun ghin ann dhiubh ach aon fhear;

Ged bhiodh e uiread ri tarbh,

An dèidh dhut falbh leis, math dh'fhaodte,

Nuair a ruigeadh tu an fhèill

Gur h-ann a dh'fheumadh tu saod air

A philleadh leat.

Thig am Bàillidh 's an clachair,

An gobha tarsainn 's an saor ort,

Thig fear dhèanamh nan cliabh,

'S cha bhiodh tus' ach riaslach às aonais;

Thig an greusaiche 's an tàillear,

'S cha bhiodh tu blàth gun an t-aodach,

'S nuair thig fear airgead nam bochd,

Gura gann a nochdas tu t' aodann –

Cha ruig thu leas.

Nuair a dh'fhalbhas iad uile
'S nach bi guth air a h-aon dhiubh,
Fàsaidh t' inntinne socair
Ged bhiodh tu ag osnaich 's a' smaointinn;
Is tu nad shuidhe air a' chnoc
A' faicinn coltas an t-saoghail,
Gun tig am marsanta bhod chùl ort,
'S gun can e an diùrais, "A laochain,
'N do chreic thu an damh?"

Canaidh tu le guth beag ris,
"Cha do chreic mis' an-dràst' e,
Chan eil prìs air na daimh –
'S e sin tha iad ag ràdha;
Bho nach tigeadh fear-dùthcha
A chumadh ùin' ann am pàirc e
Còmh' ri leithidean eile,
'S gum biodh e rud beag na b' fheàrr,
Feuch an seas e a-mach."

Saoilidh mòran dhan òigridh
Gu bheil cuid dhan òran na bhreugan –
'S ann a bhios iad glè dheònach
Bhith cur sgleò air mo bhriathran;
Nuair tha 'n *Dole* 's an *Transitional*
Air a mheas ris an riaghailt,
Agus peinsean na h-aoise nach
Tig air caochladh gu sìorraidh
'S e sin tha math.

"Fo èislean, a' gearain chreuchdan"

Òran an Fhuachd

Ghabh mi fuachd air Dimàirt
A-muigh san tràigh is mi gearradh;
Theireadh fear, "'S e grèim-lòin a th'ann",
"Èst led ghòraich ach cnatan."
Their a h-uile fear riamh dhomh
Sgil air bheulaibh na leapa:
"Dèan an rud a tha mi 'g ràdh –
Faigh deoch-làidir 's gabh fallas
'S na caraich aist'."

Fhuair mi deochannan blàtha
Mar a bha iad a' cantainn,
Cus de nitheannan làidir
'S làn no dhà uisge-beatha;
Bha mi uile gun sunnd,
'S gun mhòran lùiths na mo chasan,
'S tha e coltach gu leòr leam
Gur e 'n grèim-lòin a bha stad ann
'S nach tig e às.

Gur c mis' tha fo mhìghean
'S mi nam shìneadh san leabaidh,
'S mi ri smaointinn mo nàbaidh
A-muigh ag àiteach an fhearainn,
'S mi fhìn gun chothrom air gluasad
Ach laighe suas fon a' phlaide
'S mi ga tarraing mum chluasan,
O, feuch am buaileadh am fallas
Air tighinn a-mach.

Ach ged gheibhinn mo shlàinte
Nuair a dh'fhàgadh an t-earrach,
Cha bhiodh m' inntinne stòlda
Nach do chuir mi dòigh air an fhearann,
'S mi fhìn gun dad a bhuntàta –
Cha do rinn mi stàth mun do laigh mi;
Saoil am bithinn ro dhòigheil
Ged bhithinn beò gus an ath-bhliadhn'
'S nach fhaighinn fear.

Ach nuair chaidh mi air ghluasad
’S a fhuair mi sin seachad,
A h-uile dad a bh’ air m’ inntinn,
Leig mi dìreach far m’ air’ e;
Dh’èirich mise gu fonnmhor
’S bha chas-chrom aig a’ chladach,
’S an uair a chaidh mi ga feuchainn
Cha robh riamh air an talamh
Leth cho math.

’S ann a bhuail e air m’ inntinn
Nach robh tìm air a ghearradh,
Ach bha beagan de shiabaich
A chuir Dia chon a’ chladaich –
Chuir mi suas leis a’ chliabh e,
Sgaoil mi sìos e air feannaig,
’S bha e cho fad’ air a’ bhliadhna,
’S air eagal Crìosdaidh gam fhaicinn,
Gun d’ rinn mi stad.

Ach saoil nach fhaodadh an t-Àrd-Rìgh
A tha gu h-àrd air a’ chathair
Am beagan a dhèanainn
Gum biodh e lìonmhor san talamh,
Gum biodh e uiread ri *fowle*
’S a h-uile ceann deth ri sgapadh,
’S gum biodh agam gu leòr,
Ged bha na h-eòlaich am barail
Nach dèanainn dad.

Òran nam Fiaclan

Nuair a thug am fiaclair na fiaclan à Seonaidh agus a thug e leis an deud a bh' ann roimhe airson rud a chur ris, cha do thill e air ais a h-aon aca gus an do sgrìobh am poileasman Seumas MacIllEathain thuige. Fhuair Seonaidh an uair sin na fiaclan, ach an dèidh sin cha dèanadh iad sìon a dh'fheum dha.

Gura mise tha gu cianail,
Tha mi riaslach mar a tha mi,
Nuair nach ith mi dad a bhiadh
Gur h-ann a tha m' fhiaclan ann an Ayr;
Nuair thug Mackay às mo bheul iad,
Cola-deug, bha e 'g ràdha,
Gus am faighinn feadhainn ùra
A dhèanadh smùrach dhan bhuntàta.

'S bha e 'g innse dhomh am mathas
'S mar a rachadh iad mum chàirean,
Ach an fheadhainn sin thoirt as –
"Chan eil e fallain dhut am fàgail;
Cuiridh mi thugad dhan dùthaich
Feadhainn ùra thèid nan àite,
Is ithidh tu coirc agus eòrna
'S chan eil dòigh nach bi thu làidir."

Thug mi taing dha, rud a dh'fheumainn,
'S mi 'g èisteachd na bha e 'g ràdha;
Cha robh aigesan ach Beurla,
'S cha robh mo thè-sa ro àraid;

Ach bha mi 'g ràdha nam inntinn
Gum b' fheàrr dhomh fhìn am pàigheadh,
'S cuiridh e thugam iad cinnteach
Mas e an fhìrinn tha e 'g ràdha.

Chuir mi an t-airgead air a bheulaibh –
'S ann a thàinig fiamh a ghàir' air;
Thug e 's chuir e na phòc e
Leis cho sòlasach 's a bha e;
Gun do thòisich e air sgrìobhadh
Rud a dh'innse mar a bha e,
'S an uair a chuir e ceann an Rìgh air,
Gun do shìn e dhomh am pàipear.

Gun d' fhalbh Mackay às an dùthaich
'S thug e chùlaibh ris an àite,
'S ged nach tilleadh e dhar n-ionnsaigh,
Chan ann ga ionndrainn a tha sinn;
Gu bheil e seachad air bliadhna
O gheall e dhomh fiaclan cnàmha,
'S mise fhathast gun am faotainn,
Gu b' e taobh an deach an t-àrsair.

Nuair a chunnaic mi mar thachair
Thuirt mi nach fhaighinn gu bràth iad,
Agus chuir mi teachdaire dha ionnsaigh
Air na cùmhnantan a dh'fhàg e;
'S ann a bha fios aige reimhid
Cho math 's a bha mi ga gh'ràitinn,
'S cha do chuir e guth air ais
A dh'iarraidh mathanas no fàbhar.

Cha robh fios agam dè dhèanainn,
Mar a bha am pian gam fhàgail;
'S nam bithinn mar seo gu sìorraidh,
'S mi gun fhiaclan na mo chàirean;
Ged a thòisichinn air bruidhinn,
'S ann bu luideach am measg chàich mi,
'S fhuair mi Seumas MacIlleEathain
'S thug mi sealladh dha dhan phàipear.

Thuirt Seumas an duine còir rium,
"'S ann a thug thu mòran dàil dha – ,
'D uige nach tàinig thu nall leis
Mu na ruith ach ceann na ràithe?
'S ged a bhiodh e anns na h-Innsean,
Cho cinnteach 's a tha mi ga ràitinn,
Gheibheamaid fios a-nall air
Ma nì inc e 's peann is pàipear."

Thuirt mi, "Tapadh leibh, a Sheumais,
'S nì sin feum dhomh fad mo làithean,
Mar a chuir sibh air mo dhòigh mi
'S na rudan bu chòir dhomh gh'ràdha;
Nuair a dh'inns mi dha le briathran
Mar a dhèanainn-sa gun dàil ris,
Grad chuir e thugam na fiaclan
Gus mo bheul a chumail sàmhach.

Chan e sin an rud bu chòir dhomh,
'S cha bu deòin leam fuireach sàmhach,
Air chor 's gun cluinneadh an còrr e
Bho na thòisich mi ri gh'ràdha;
Bhon a dh'fhalbh e às an tìr seo,
'S gun mhi cinnteach as a' mheàirleach,
'S mur b' e Seumas MacIllEathain,
Bha mi fhathast gun an càirean.

Òran dhan Influens

Gur truagh leam fhìn a bhith seo nam shìneadh
San àm a bhithinn a' dèanamh stàth;
Chan urrainn m' inntinne a bhith aig sìth nuair
Tha mi cluinntinn mu obair chàich;
Gach fear is tè mar a tha e feumail
A' cur mu dheidhinn bhith dèanamh àitich,
Is mi bhiodh deònach bhith 'g obair còmh' riuth',
Ach 's duilich dhòmhsa sin 's gun mi slàn.

Gur tric mi smaointinn air cor an t-saoghail
San àm a shaoileas tu bhith nas fheàrr –
Gur ann an uair sin a ghearrar bhuaith' thu,
'S gur gann a ghluaiseas tu cas no làmh.
Bidh tu fo èislean a' gearain chreuchdan
'S gach aon dhiubh feumach a dhol nas fheàrr –
Nuair thèid na bèistean an lùib a chèile,
Cha dèan thu feum ach gann ceum air ghàig.

Gur tu bhios pròiseil an àm dhut tòiseachadh
'S gun thu eòlach mar a bhios càch;
Chan eil e còrdadh riut thu bhith còmh' riu,
'G ràdh an-còmhnaidh nach eil iad slàn;
Bidh fuachd is dèideadh an ceann a chèile
'S gach aon dhiù feumach an cumail blàth,
'S mur tig an còrr orr' bidh an grèim-lòin ann,
'S chan e bu dòcha a bhith nas fheàrr.

'S e chùis a mheall orm fhìn sa gheamhradh seo,
'S lean e nall mi chon a' mhìos Mhàirt:
Cha dèan mi dannsa, chan urrainn ann mi –
Gur h-ann a tha 'n ceann agam ris an làr;
Nuair dh'fhalbh am Faoilleach is bha mi smaointinn
Gun dèanainn taomadh cho math ri càch,
Gun tànaig treabhlaidh dhan influens orm –
Is ann a dh'fheann i mi far nan cnàmh.

Is e gnothach cianail leam fhìn bhith dìomhain
'S nach fhaigh mi sìol a chur ri fàs
Airson na bliadhna tha tighinn a dh'iarraidh
An rud tha riatanach chon na bà;
Nuair thig a' Chaingeis an dèidh na Bealltainn,
Gur ann tha 'n t-àm aige bhith san làr;
Ged tha na Crìosdainnean uile lìonmhor,
Tha fios aig Dia nach eil iad nan tàmh.

Tha daoine neònach ag ràdh an-còmhnaidh
Nach fhaigh iad stòras a chur an àit'
Airson am beòshlain' an uair thig leòn orr'
'S nach bi tròcaire dhaibhsan càch;
'S iad tha gòrach – mas e 's gun òrdaichear
E, tha tròcair aig Rìgh nan Gràs;
Tha dùil a'm fhìn ris ged tha mi tinn,
Mar a tha e sgrìobhte nach till e làmh.

'S a-nis on fhuair mi rud beag air gluasad,

Gur h-ann an uair sin a chluinneas càch

Mun tàir a fhuair mi bu doirbh cur suas leis,

'S chan ann gum bhuannachd a leanadh à;

Bha cràdh nam dhruim, nam cheann 's nam chìdhlean

'S air feadh na h-oidhche chan fhaighinn tàmh;

B' e chùis bu truaighe le crithean fuachd –

Cha chumadh gualadair mise blàth.

Dotair ùr thàinig oirnn dhan dùthaich,

Ged rinn sinn cùmhnantan ris mu thràth,

Cha tàinig rùdan dheth fhèin dham ionnsaigh

Ged a bha sùil agam ris gach là;

Bha mise smaointinn, nam faighinn aon uair

Air feadh an t-saoghail 's mi mar a bha,

Gun dèanainn òran a chur an òrdan

Bhiodh aig na h-eòlaich an dèidh mo bhàis.

"Is goirt an naidheachd a fhuair mi"

Marbhrann do dh'Iain Caimbeul an Clachair (Bràthair a' bhàird)

Gur muladach a tha mi,

'S mi san àite seo leam fhìn –

A' smaointeachadh a tha mi

Ort, an rud nach fheàirrde mi;

Bhon uair a chaidh do chàradh,

Ann an t-Hàlann anns a' chill,

'S e sin a dh'fhàg cho tùrsach mi,

'S gun dùil leam riut a-chaoidh.

'S gur mòr an t-adhbhar smaointinn

Tha san t-saoghal air gach dòigh –

Cha robh sinn fhìn ga shaoiltinn,

Nuair a bha sinn aotrom òg,

Gun tigeadh cruas no ànradh oirnn

Gu bràth fad 's bhiomaid beò;

'S a-nis, on uair as lèir dhuinn e,

Tha e cur èislein òirnn.

Gur h-iomadh rud a chì sinn

'S e air innse dhuinn bhor n-òig'

Gun tig e oirnn fhìn,

Is tha sin fìrinneach gu leòr:

Na nàimhdean 's iad mu chuairt oirnn

A' bruachaireachd 's sinn beò,

'S iad feuch am faigh iad buaidh oirnn

Mun toir sinn suas an deò.

Na nàimhdean 's iad cho lìonmhor

Agus iad a' feuchainn rinn –

Tha h-uile aon dhiubh dìorrasach

Gu fiaradh thoirt 's gach nì;

'S e carthanntachd ar nàdair

Nì na nàmhaidean a chlaoidh,

'S iad feuch am faigh iad fàth oirnn

'S gun fhàthmas aca dhuinn.

Nuair thèid mi chon nan àiteachan

Am b' àbhaist dhuinn a bhith,

Gu saoil mi gura còir dhut

Gun còmhdhalaich thu mi;.

'S e 'n rud a tha cur bròn orm

'S a tha toirt leòn dham chrìdh'

Bhith faicinn gnìomh do làmhan

Agus tusa cnàmh sa chill.

An snuadh a bh' air na h-àiteachan

'S am blàth a bh' air gach nì,

Gu bheil e nis air fàilligeadh

Bhon uair a dh'fhàg thu sinn,

Ach taing is cliù dhar Slànaighear

'S gach fàbhar rinn e rinn

Gun tig gach cùis gu nàdarra –

'S e 'm bàs a gheobh sinn fhìn.

Ach bidh mi nis gu sòlasach

’S cha bhi mi ’m bròn nas mù ,

’S mi smaointinn air gach tròcaire

A rinn Rìgh na Glòire rium:

Gun d’ fhuair sinn greis bhith còmhla

Mar a dh’òrdaich E sin dhuinn,

’S le thoil-san bidh sinn còmhla ris

An glòir nach tèid air chùl.

Marbhrann do Dhòmhnall Iain

Rinn Seonaidh am marbhrann seo nuair a chaill nàbaidh òg dha, Dòmhnall Iain Mac-a-Phì, a bheatha air an t-siathamh latha deug dhen Lùnastal, 1917. Bha e air an *SS Athenia,* a bha seachd mìle-mara tuath air Èirinn air a slighe à Montreal a Ghlaschu nuair a chaidh a cur fodha le U-23.

B’ e seo foghar mo sgaraidh

A dh’fhàg mi airsnealach tùrsach;

Chuir e maille nam lèirsinn

’S chan eil ceum agam sunndach

Bhon a chuala mi ’n naidheachd

Gun thu aca sa chunntais

Nuair a bhuail iad ri àireamh

Na bha air an sàbhaladh dhiubhsan.

Is goirt an naidheachd a fhuair mi

’S mi san uair gu math sunndach,

Gu robh thusa air do bhàthadh,

Sgeul mo chràidh tighinn dham ionnsaigh;

’S ann a-mach bho Cheann Èireann

Fhuair an t-eug thu rid chunntais,

Is gura mise tha gu deurach –

Chaill mi, m’ eudail, mo dhùil riut.

Chan e airgead no òr
’S chan e stòras no iunntas,
Ged a gheibhinn e còmhla,
Dh’fhàg mi brònach gad ionndrainn –
Bha do chridhe cho blàth dhomh
’S bha do nàdar cho ciùin rium
Is bha thu coibhneil nad inntinn,
A h-uile nì tighinn led dhùrachd.

Is beag an t-iongnadh sin dhòmhsa
A bhith cho brònach gad ionndrainn –
Cha tug thu dhomh nàire,
Rud a dh’fhàgadh air chùl mi;
Bha thu aoigheil rid chàirdean
Is cha robh càch ort an diombadh,
’S bu mhòr do theist aig gach nàbaidh
A bh’ anns an àite seo dlùth dhut.

Is bidh mi smaointinn gu tric,
A Dhòmhnaill Iain, gach àm ort,
Gura sibh bh’ anns an èiginn
An àm dhan bhèist bhith tighinn teann dhuibh;
Ach le toil Righ nan Gràsan,
Nuair a thàinig an t-àm, O,
Gun do theirig an ùine
’S i ’n dèidh a cunntais gu ceann dhuibh!

Bhon a tha thusa dhìth oirnn
’S nach fhaigh sinn thu le ionndrainn.
’S iomadh fear agus tè, O!
Dh’fhàg an Ceusar gu tùrsach;
A chuir e ’n cadal a dhìth orr’
Is iomadh oidhche nan dùsgadh –
’S e rud as urrainn dhuinn fhìn
A bhith ort cuimhneach nar n-ùrnaigh.

Marbhrann do Lachlann MacIllEathain

Bha Lachlann à Loch Euphort an Uibhist a Tuath. Bha e na chlèireach ann am bùth Dhòmhnaill Fhearghastain. Bhàsaich e an dèidh a bhith treis bochd leis a' chaitheamh. Bha Seonaidh gu math eòlach air nuair a bha e an Loch Baghasdail.

Gur mise tha gu brònach
An-còmhnaidh 's mi leam fhìn,
An-diugh a' caoidh an òigeir
Bu bhòidhche bh' anns an tìr;
Bu tric a bha mi còmhradh riut,
'S bu deònach leam a bhìth,
'S a-nis bho thug thu cùl rinn
Gura tùrsach tha mo chrìdh'.

Ged a dh'fhalbhadh tu air thuras bhuainn
'S neo-mhuladach a bhiomaid,
An dùil gun till thu 'n graide,
Mar bu taitneach le mo chrìdh' –
Chan ann mar sinn a thachair e,
Tha faicinn agam fhìn,
Ach feumaidh sinn bhith toilichte
Air gach cor a thig nar lùib.

Bho thàinig thu dhan àite seo
'S tu air do mhànran fhèin,
Gach duine dha na nàbaidhean
Gad ghràdhachadh gu lèir;
'S e chuir an gaol cho mòr ac' ort
Thu bhith gun phròis fon ghrèin,
Gun sprochd, gun ghruaim, gun arraban
Ach foighidinn gu lèir.

Gach duine bha cur eòlais ort
O thòisich thu nan ceann
A' toirt am mìle beannachd ort,
'S bu mhath leo thu bhith ann;
Ge b' òg a' tighinn nan cuideachd thu,
Bhiodh furain ort gach àm,
'S a-nis on thrèig thu buileach sinn,
'S e mulad a bhios ann.

Do mhàthair bhochd gu muladach
Ri tuiream os do chionn,
A' smaointeachadh, a Lachlainn, ort,
'S nach gabh e cur air chùl;
'S a dh'aindeoin gu dè chunnaic i
Na dh'fhuiling i o thùs,
Gur tusa fhèin a ràinig i
Gad chàradh anns an ùir.

Sinn uile faighinn dheuchainnean,
'S gur lìonmhor iad leinn fhèin,
Gach duine mar a riaghlar dha
Le mìorailtean Aon Dè;
O, feumaidh sinn bhith strìochdte Dha
Nar gnìomhannan gu lèir,
Ach 's duilich mura dèan sinn siud
Gu fiachar rinn na dhèidh.

Nach mòr an t-adhbhar smaointinn
Dha na daoine nach eil òg
Na fhuair iad fhèin a shaoghal,
'S iad cho gaolach air a' chòrr?
Nam faigheamaid na dh'iarramaid,
Bu lìonmhor na bhiodh beò,
'S chan fhalbhamaid gu sìorraidh
Ach bhith sìor chur ann an tòrr.

Ma thèid thu dh'àit' an tiodhlaicidh
'S gu feuch thu mar as còir,
Gu seall thu ann ad inntinne
Agus innsidh i gu leòr –
Chan eil an sean na shìneadh ann
Nas cinntiche na 'n t-òg,
'S bu chòir dhuinn sin a chuimhneachadh
'S sinn ann an tìr nam beò.

Tha fios againn gun tachair e
Cho fad 's gum bi an ùin':
A h-uile h-aon an rathad seo
A' teannadh ris an ùir;
Ach 's math an dàil dha giorrad
Airson misneach a thoirt dhuinn,
Ach feumaidh sinn bhith deònach
Nuair a dh'fheòraichear a' chùis.

"Anns a' bhliadhna Naoi Ceud Deug"

Soraidh chon nan Gàidheal

Air fonn:

Soraidh bhuam a-null dhan Fhraing
A dh'ionnsaigh muinntir Tìr nam Beann;
Fhuair iad cuireadh gu dol ann,
Is cha robh maill' unnta no fadal.

Is ann sa bhliadhna naoi ceud deug,
'S a deich 's a ceithir gu triall,
Fhuair sinn naidheachd fad' or miann
Nach do dhìochuimhnich sinn fhathast.

Bhrist an Gearmailteach an t-sìth
Bha ann an Alba 's anns gach tìr
An dèidh a ceangal le cinnt
Anns na linntean a chaidh seachad.

An uair a chualas an glaodh,
'S a chaidh an naidheachd mu sgaoil,
Chruinnich muinntir an fhraoich
Às gach taobh an robh iad sgapte.

Dh'fhàg iad as an dèidh gach nì
A dhèanadh feum air muir 's air tìr;
Nuair a fhuair iad cuireadh an Rìgh,
Dh' èirich an inntinn gu batal.

'S bha iad aotrom feadh nam beann
A' cur nam peilearan nan dean:
Cha bhiodh an teineachan gann
Eadar na bheil ann 's nach maireann.

Bha iad ro mhath air a' chuan
'S feadh na tìre leis a' chruaidh,
A' cur air an nàmhaid ruaig
Fhad 's a mhaireadh luaidhe ghlas dhaibh.

Ged a chosgadh iad a luaidh'
Cumail nan nàmhaid air ruaig,
Bheir iad a' bheugaileid à truaill –
'S iad nach toireadh suas le gealtachd.

Ged tha na Gearmailtich treun
'S iad cho cealgach anns gach ceum,
Nuair a thèid fir Alb' air ghleus,
Bidh an Ceusar air a mhealladh.

Ged a bha e ann an dùil,
Is e cumail a mach bho thùs,
Gun cuir e Paris na smùid,
Gus bhith mu Bhliadhn' Ùir an Sasann.

Thuirt e mu Shasann gu leòr –
An rud nach fhaic e ri bheò –
Gu faigheadh e a cur fo spòig
A' cur an-dòchas anns na bh' aige.

Thuirt e mu Alba mar-thà
An rud sin nach fhaic e gu bràth –
Nuair a gheibh e a cur an sàs,
Gum bi càch aige fo chasan.

'S iomadh gìogan a tha ann
Ged a bhiodh e treis an toll,
'S ann a fhreumhachadh on bhonn
Gus an cuir e cheann thron talamh.

Tha e sìobhalta gu leòr
Ma dh'fhanar gun dol na chòir;
Ach tha ìnean air a mheòir
'S air òrdagan a chasan.

Sin mar a bha Alba fhèin,
'S thug i dearbhadh air na dhèidh:
Nuair a fhuair i dhol air ghleus,
Chual' an Ceusar a cuid chanan.

Theireadh Ceusar iomadh uair
Gu faigh e air Breatainn buaidh –
B' fheàrr dha fuireach aig a' bhuain,
'S an rud sin thoirt suas mar mhearachd.

"Nuair a thèid fir Alb' air ghleus,
Bidh an Ceusar air a mhealladh."
Gillean Taobh a Deas Loch Baghasdail anns a' Chogadh Mhòr. Na shuidhe air
an taobh chlì tha Sandaidh Caimbeul.
(Dealbh le Pòl McCallum)

Oran Gillean na Nèibhidh

Nuair bhios mi nam aonar,
Bidh mi tric a' smaointinn
Air gillean mo ghaoil,
A h-uile h-aon a dh'fhalbh dhiubh.

Dh'fhalbh na gillean tapaidh
A dh'ionnsaigh a' bhatail,
Gun chùram, gun taise,
Gun ghaiseadh, gun chearbaich'.

Cha robh dad de sgòd orr'
Bhom mullach gu am brògan;
Bha iad air an còmhdach
Eadar òr is airgead.

Dh'fhalbh iad às gach sgìreachd,
Gillean calma dìleas;
'S ann a tha 'n toil-inntinn
Aig an Rìgh on d' fhalbh iad.

Tha e cinnteach asta
'S iad gun fhiamh gun taise,
Dìreach mar tha bheachd, gu
Làidir, reachdmhor, meanmnach.

Nach b' e siud na leugain
A' coinneachadh a chèile,
Muinntir Gàidhlig 's Beurla
A' toirt sgeul dhan Ghearmailt.

Nuair a bhios iad còmhla
An dèidh an cur an òrdan,
'S minig thigeadh nan còmhdhail
Bhiodh dèonach air argmainn.

Gàidheil nam beann fuara
Daonnan mar bu dual dhaibh:
Cho ciùin ris na h-uain gu 'n
Tèid an gluasad, 's borb iad.

Is measail anns gach àit' iad,
Ann an iomadh cànail,
'S aig a h-uile làrach
Tha 'm blàth air a dhearbhadh.

Anns gach blàr is cogadh
Bhiodh iadsan air thoiseach
O linn Dhiarmaid 's Osgair,
'S Oisein, ged a dh'fhalbh e.

Faodaidh mi bhith 'g ràdha,
'S cha dèan duine m' àicheadh,
O thuras Phrionns' Teàrlach
Bha na Gàidheil ainmeil.

Nuair dh'èireas na gillean
Lem beugaileidean biorach,
Tha Ceusar air chrith, 's e
Mionnachadh gu garbh dhaibh.

Tha iad biorach faobhrach,
'S tha iad nimheil aontach,
'S gun duine air an t-saoghal
Bheir a thaobh air falbh iad.

Sheasadh iad cho dìleas
A' gleidheadh na Rìgheachd,
'S chailleadh iad na cinn mu
Leig iad mìr air falbh dheth.

Tha 'n Ceusar cho diombach
On chuireadh a-null iad,
'S bidh e air a ghlùinean,
'S chan eil sùgh na sheanchas.

Chuala sinn bho thùs gu
Bheil e math gu ùrnaigh;
'S b' fheàrr dha cus an ùmhlachd,
'S cha robh chùis cho cearbach.

Bidh e umhail fhathast,
'S chì e cùis nach fhac' e,
'S thèid a sgiùrsadh dhachaigh
Ged a bhiodh e anmoch.

Bho nach robh e coibhneil,
Gu faigh Breatann grèim air,
'S thèid a' bhratach aoibhneach
A shoillseachadh sa Ghearmailt.

Bratach bhuadhmhor Bhreatainn,
Thèid i suas gun teagamh,
'S gach aon leis am beag i,
Teichidh e air falbh às.

Gheobh gach duine saoirsne
Am fianais an t-saoghail,
'S thig feadhainn nach saoil sibh
Às gach taobh dhan d' fhalbh iad'.

Òran a' Chogaidh Mhòir

Bidh athraichean is màthraichean,

'S bidh peathraichean is bràithrean

'S mnathan agus pàistean

Air gu bràth a' seanchas.

"Bha iad uile calma, sunndach,
Làidir, lùthmhor, ionnsaicht', eòlach,
'S cuimhn' aig gach fear air an àite
An deachaidh àrach feadh nam mòrbheann;"
Seòras Mac a' Mhaoilein à Dalabrog, Ruairidh Peutan à Staoinibrig
agus Ceit Chaluim à Cill Bhrìghde, àm a' Chogaidh Mhòir.
(Tasglann Comann Eachdraidh Uibhist a Deas)

Fhuair sinn naidheachd 's cha bu spòrs i,

'S dh'fhàg i brònach bho chionn tìm sinn:

Gu robh cogadh mòr air èirigh,

'S chaidh an sgeul air feadh na Rìoghachd;

Cha robh fios aca mu dheidhinn

Gus na dh'èibheadh nach robh 'n t-sìth ann,

'S chuir iad an sin an cinn ri chèile

'S chunnaic iad gum b' fheudar sìneadh.

Gu bheil an Gearmailteach air bualadh,

Is adhbhar uabhais sin ri chluinntinn,

Is nach eil tròcair ann do thruaghain

Nach b' urrainn gluasad no dìreadh;

Ach gan leagadh leis an luaidhe,

'S e gan cur dhan uaigh nam mìltean;

Air na fhuair e làmh-an-uachdair

Chan eil buaidh aig' air a choinnseas.

Chuala sinn mar a bha am Flannras –

'S coltach nach eil ann ach fìrinn:

Gun do rinn e gnothach oillteil

Air na bha chloinn ann 's de sheann daoine;

A' chuid dhiubh nach do rinn e mharbhadh,

E gan toirt air falbh dhan phrìosan,

Gus an d' fhuair iad gu ruig' Alba –

'S i rinn tearmad air na mìltean.

Fhuair iad socair 's fhuair iad tàmh ann,
Fhuair iad blàths ann 's fhuair iad sìth ann,
Fhuair iad coibhneas agus càirdeas,
'S cha robh nàmhadas dhaibh innte;
Cha b' ionann 's mar a bha an Ceusar
Nuair a fhuair e fhèin fo chìs iad,
A' cur na Rìoghachd às a chèile,
'S cha dèan i bonn feum a-chaoidh dhaibh.

Thàinig e 'n sin chon na Frainge,
'S leig i a-nall air a' chrìoch e;
Bha e an dùil ri tighinn a Shasann
'S nach biodh maill air a' tighinn innte;
'S gun tigeadh e an sin a dh'Alba
'S mu na dh'fhalbh e, bha e na inntinn
Gu faigh e uile-gu-lèir iad
Gus e fhèin a bhith na rìgh ann.

Cha do thuig e dè bha roimhe –
Shaoil leis an toiseach na cùise
Gum biodh gach nì mar a b' àill leis
On a bha e làn de dh'iunntas;
Ach chan ann mar sin a thachair –
Am fear a bha na chadal, dhùisg e,
'S dh'fhalbh na gillean uile còmhla
An dèidh an seòladh le luchd-stiùiridh.

'S iomadh màthair agus athair
Piuthar, 's bean a bha gu cràiteach
On uair a chaill iad an daoine,
Gun dùil ri faotainn nan àite;
Chan eil lighiche san rìoghachd
A bheir sìth dhaibh anns a' chàs sin;
Fhad' 's a bhios an cridhe air ghluasad,
Bidh sin dhaibh cho buan 's a tha e.

Ràinig iad fearann na Frainge
Mun do rinn iad lann a rùsgadh;
Iad a ghèilleadh dhan Chomanndair,
Bhith aca nuair a gheall iad ùmhlachd;
'S minig a chanadh aig an àm sin
Gun gabhadh a' chlann ud mùiseag,
'S iad a' togairt chon na Gearmailt
O 's i an argmainn thug a-null iad.

Ged a thòisich iad air cogadh
Bha ann o thoiseach an t-saoghail
Air òrdachadh a bhith dèante,
Ach bha riaghailtean air daonnan;
'S mar a bha an Ceusar cho meallta,
Cha do sheall e air a h-aon dhiubh –
'S iomadh fear a thuirt on àm sin,
"Bidh an call ud air a dhìoladh."

Nuair a fhuair na Gàidheil chalma
Cothrom air an airm a rùsgadh,
'S iomadh fear thàinig on Ghearmailt
Nach till le seanchas a-null ann
Aig an robh misneach is earbsa
Gun toir iad dearbhadh mun chùis dhaibh
A tha nan sìneadh air an raoine
Nan cadal 's nach fhaod iad dùsgadh.

Tha do dh'innleachd anns a' Cheusar,
'S chan eil feum a bhith ga innse,
'S ged a ghabhadh e cur an seanchas,
Tha e searbh a bhith ga chluinntinn;
A h-uile gin gu daoin' a mharbhadh
No 'n toirt dhan Ghearmailt dhan phrìosan;
Ach ma chinnich iad na cheann-san,
Cha b' e chompanaich a mhill e.

Nuair a tharraing iad ri chèile
'S mòr am beud nach robh e dlùth dhaibh,
Ach bha esan anns na dìgean,
Cha dìreadh e ach a bhith unnta;
'S nam bitheadh e air an rèidhleach
Len claidhmhteannan geura, rùisgte,
'S gu fanadh e air am beulaibh,
Bhiodh fhuil air an fheur a' srùladh.

Tha gach innleachd air an taghadh,
'S cuid dhiubh nan soithichean-gaoithe
Gus a dhol faisg air an adhar
Airson ar mealladh dha-rìribh;
'S feadhainn eile dol fon mhuir
A chanar riutha *submarìtheans,*
Is iad a' gèilleachdainn dhan ealain
Ris an canar an *torpedo.*

A h-uile duine tha fon ghrèin
A' faicinn eucorach an nì sin,
Mar a tha obair a' Cheusair
'S e dèanamh beud le chuid innleachd;
'S ged a bha iad aca fhèin,
Cha chuireadh iad an gèill a-chaoidh iad,
Gus na mhothaich iad gum b' fheudar
Dhaibh bhith 'g èirigh 's nach b' ann mìn ris.

'S iomadh rìoghachd a rinn èirigh,
Is bha sin feumail aig an tìm seo,
Nuair a chunnaic iad 's gach tè dhiubh
Gu robh an Ceusar airson dìreadh;
Thog iad an guth uile còmhla
Gun dèan iad len deòin an dìcheall,
'S thug iad cuideachadh dha chèile
A chum an rèit' a bhith 's gach rìoghachd.

Dh'èirich Ruisia is an Fhraing,

'S dh'èirich Flannras 's dh'èirich Sìona,

Dh' èirich Ameireaga thall,

'S bha Japan leinn bho chionn linntean;

Dh'èirich Astràilia mhòr leinn

'S an Eadailt chòir na mìltean,

'S ged bha an Turcach dubh san argmainn

Dh'èirich Alba gu cur crìoch air.

Sìol nam fear bha làidir lùthmhor

A bha riamh cliùiteach o tha cuimhn' air,

Ged a tha seanairean a' crìonadh,

Tha 'n fhuil ag iarraidh gu dìreadh

Anns na lasgairean a dh'fhàg iad,

'S a bhitheas i blàth nan cuim-san;

Bidh an air' aca air a' Cheusar

'S cha chuireadh sin fhèin oirnn iongnadh.

Bha iad uile calma, sunndach,

Làidir, lùthmhor, ionnsaicht', eòlach,

'S cuimhn' aig gach fear air an àite

An deachaidh àrach feadh nam mòr-bheann;

Nuair a dh'èibhte iad gu h-uchd cruadail

Ghluaiseadh iad air rèir an òrdain,

'S na h-aon-deug far an dà fhichead*

A chuir bristeadh air a dhòchas.

'S thug iad cothrom iomadh uair dha

Airson a thoirt suas mar bha e,

'S nach dèan iad uiread a dholaidh

Na do dhomail air an àite;

Gura th' ann a bha e dèanamh

Nach biodh e strìochdte gu bràth dhaibh,

Ach thèid iad a Shanndar-Lìona**

Ceart cho cinnteach 's a chaidh càch ann.

Tha e seachad air trì bliadhna

Bhon a rinn e gnìomh gun nàire,

'S chunnaic gach duine, 's bu shearbh dhaibh

Eadar na mharbh e 's na bhàth e;

Ach nuair a thèid iad dhan Ghearmailt

Gheobh e sin a dhearbhadh dhasan,

Ge b-e mar a dh'èireas shuas dha,

'S ann tha fios aig Dia nan Gràs air.

Bidh mise ris a' cho-dhùnadh

Ann an dùil nach eil cus dàil ann

Gus am bi sìth air an t-saoghal –

'S tric a smaointich sinn mar-tha air;

'S iomadh fear is tè ga ghuidhe,

Ged nach ann ullamh dheth tha iad –

Ged tha cuid eile air a chaochladh,

'S barail leam gu faod mi ràdha.

*A 51*st*, no a' Highland, Division , **St Helena

"An Spiorad Naomh a bhith gar stiùireadh"

A' Phàis

Is mòr an sòlas dhuinn ri smaointinn,
Ged is peacach sinn, clann-daoine,
Gu bheil Do làmh-sa sìnte daonnan
Chum Do ghràsan oirnn a sgaoileadh.

Is Tusa Crìosda, Rìgh na Glòire,
'S aon Mhac sìorraidh na Moire Òigh Thu,
Uan an Athar leis nach deònach
Bàs a' pheacaich, ach gur beò e.

Buaidh a' Mhic is beannachd A Mhàthar
A bhith maille rinn 's gach àite,
An t-ostal naomh a bha gad thàladh
Bhith guidhe air ar son a-ghnàth riut.

Chan eil teagamh anns na dh'inns Thu
'S chan eil agradh againn nar n-inntinn –
Chan ionann 's mar a bha Pìolat
Nuair a bha iad fhèin gad dhìteadh.

Ged a thuirt Thu fhèin led bheul e
Gur Tu Mac an Athar Shìorraidh,
Cha do chreid iad h-aon dhad bhriathran
Ged a dh'inns Thu gura Dia Thu.

An Eaglais Chaitligeach agus Taigh an t-Sagairt, Dalabrog c. 1900.
(Cruinneachadh Linda Gowans)

Thug Thu coiseachd dha na bacaich

’S thug Thu dha na bodhair claisneachd,

’S dha na balbhain comas labhairt,

’S dha na doill gu faod iad faicinn.

’S ged a chunnaic iad len sùilean

A’ dèanamh mhìorailtean às ùr Thu,

’S a’ toirt air na mairbh bhith dùsgadh,

Cha do chreid iad gura Tu E.

Nuair a chunnaic Thu mun bhòrd iad,

Na dhà dheug bu tric bhiodh còmh’ riut,

Bha sibh aig an t-sùipear còmhla

’S chrìochnaich Thu gach gnìomh gan seòladh.

Thug Thu cumhachd dhaibh san uair sin,

Comas ceangail agus fuasglaidh,

Dh’fhàg Thu h-aon aca na bhuachaill

A chum Do threud gu lèir dhut uallach.

’S bhrist Thu aran mar a b’ àill leat

’S cha do thill Thu e bhod nàmhaid;

Thug Thu seachad am measg chàich dha

T’ fheòil is t’ fhuil led chumhachd làidir.

Thug Thu gealladh dhaibh is lèirsinn,

’S shuidhich Thu nad theampall fhèin iad

Air a’ charraig naoimh nach gèilleadh

Dh’aindeoin siantainnean no sèideadh.

Cha robh tùr no iochd no tròcair

Ann an Iùdas, mar bu chòir dha,

Nuair a bhrath e fhèin le pòig Thu,

’S lìbhrig e dhad nàmhaid còir ort.

Cha robh iochd no bàigh no truas riut

Aig a’ ghràisg a bha mu chuairt dhut,

Ach gad cheangail leis na dualaibh

Ann am beachd nach faigh Thu fuasgladh.

B’ àill le ceannard taigh na daorsna

Far na bh’ ann gu faigh Thu saoirsne;

’S gura h-ann a b’ àirde ghlaodh iad

Barabas thoirt air falbh mu sgaoil dhaibh.

Dh’èirich farmad feadh chlann-daoine,

Luchd na ceilge rinn a smaointinn,

’S cha do dh’fhalbh e às an t-saoghal

Ged a cheusadh Naomh nan Naomh leis.

Dh'fhigh iad crùn dhan droigheann gheur dhut,

'S rinn iad leis Do cheann a reubadh,

'S cha do dh'fhoghainn dhaibh gad phianadh –

Cheus iad air a' chrann Thu, Chrìosda.

Chroch iad suas Thu air na tàirnean

An dèidh Do bhualadh leis na stràcan;

Gu faigheadh Tu am barrachd tàmailt,

Chuir iad air gach taobh dhìot meàirleach.

'S ged a lùb iad sìos an glùinean,

Tà, chan ann a' toirt dhut ùmhlachd,

Ach a' dèanamh dhiot ball-spùirte

'S culaidh-mhagaidh fad na h-ùine.

'S thilg iad seile shalach bhreun ort,

Nì bha taitneach le luchd t' eucoir,

'S air Do phathadh toirt fìon geur Dhut,

Rìgh nam Feart 's a neart ga thrèigsinn.

Chuir iad os Do chionn cùis-dhìtidh:

'Rìgh nan Iùdhach' air a sgrìobhadh,

'S fhuair iad ùghdarras bho Phìolat

Còmhla ris na bh' aca 'mhìorun.

Ged nach robh sinne mud dhìteadh,

'S eagal leam nach robh sinn dìleas;

Thuit e nuas bho linn gu linn oirnn

Gus 'n do rinn sinn ar cuid fhìn dheth.

Gura tric a thug sinn tàir dhut

'S rinn sinn dìochuimhn air na fàithntean,

'S gheall Thu dhuinn gum biomaid sàbhailt

Ach gach aon a chumail slàn dhiubh.

Ged a bha sinn fhìn cho dàna

'S gun do bhrist sinn tè no dhà dhiubh,

Dh'fhàg Thu saod dhuinn gus an càradh

Fhad 's bhios sinn an gleann a' bhàis seo.

Chan e aon tè, 's chan e a dhà dhiubh,

Chan e a naoi, ged 's mòr an àireamh;

Seall sibh Maois a bh' anns an fhàsach

Nuair a fhuair e air a' chlàr iad.

Gura tric a rinn sinn dìochuimhn'

'S a bha sinn air ar gealladh breugach,

'S rinn Thu fàbhar rinn nach b' fhiach sinn

Feuch an gèilleamaid dhad bhriathran.

Is mòr a dh'fhuilig Thu gus ar saoradh –
Cheannaich Thu sinn, ge b' e daor dhut,
T' fhuil a' sruthadh air gach taobh dhìot,
'S cha b' e luach an t-òr de bhraon dhith.

Thug Thu tuigse dhuinn is reusan
'S thug Thu gaol dhuinn mar an ceudna;
Los gun dearbhadh Tu Do spèis dhuinn,
Gun d' dh'fhuilig Thu am bàs nar n-èirig.

Athair Shìorraidh, bi rinn truasail,
'S ar saobh-chràbhadh na cuir suarach;
'S thoir dhuinn aithreachas gun luasgan
'S gràsan gus ar nàmhaid fhuadach.

Math dhuinn peacannan ar n-òige
A rinn sinn nuair a bha sinn gòrach;
Thoir dhuinn neart is feart nar dòchas
Los nach èirich iad nar còmhdhail.

Breith Chrìosda

Càit am faca sùil fon ghrèin,
Cluas cha chual' e, beul cha d' inns
Nì bu taitniche na sgeul
An aingil fhèin do Mhoire Mhìn?

Fàilte, Mhoir', os cionn gach tè,
Aona gheug a' chinne-daond' –
Rinn thu leigheas air gach creuchd,
Ghiùlain thu Mac Dè nan Naomh.

Is iomadh allaban is fuachd
Is deuchainn chruaidh a dh'fhuiling an Òigh,
Is a cèile beannaichte naomh
Mar rith' daonnan anns an ròd.

Air an t-slighe tighinn thron t-sliabh
Mar a dh'òrdaich Dia bhith ann:
Saoradh an t-saoghail gu lèir,
A Aon Mhac fhèin tighinn nar ceann.

Bha baile Bhethlehem làn
Nuair a thàrla dhaibh tighinn ann;
Cha d' fhuair iad dhan chùirt a b' àird',
B' ìseal an t-àite aig an àm:

Anns an stàball measg nam biast,
Ainmhidhean far sliabh nam beann –
A h-uile h-aon dhiubh chruthaich Dia
Is chuir E tùr gu gnìomh nan ceann.

Is na bha chothrom aca Dha,
An deathach bhlàth a bha nan com,
Is iad ga chuartachadh gun tàmh
A' lùigeachdainn Dhàsan na bh' ann.

Thàinig na buachaillean bochd
A dh'ionnsaigh an fhortain a bha ann,
Is cha do dhìobradh orra 'n fheust
Ged nach robh iad fhèin ach lom.

Rìghean a bha fad' air falbh,
Ged nach amaiseadh iad air ball,
Chaidh an treòrachadh gu lèir
Leis an reul bha os an cionn.

Gheibh gach duine mathas Dhè,
Is chan eil eucoir ri bhith ann;
On bhuachaille chon an Rìgh
Gheibh e luach sna nì e thall.

Bheir E thuigse dhuinn gach uair
Gu bheil buannachd gus bhith ann,
'S ghealladh dhuinne sonas buan
Is leanamaid an dual gu cheann.

Beannachadh na Sgothadh

A Dhia, beannaich an sgoth 's an seòl,
An crann 's na 's còir a bhith mu chuairt dha,
Gach ulag 's gach ball 's gach acaire,
'S na leig gaiseadh na taod guaille;
Siùbhladh i gu rèidh bhon chaladh,
'S a tilleadh air ais biodh buadhmhor;
'S na leig i 'n gàbhadh no an cunnart
'S Do ghràsan builich gach uair oirnn.

An Spiorad Naomh a bhith gar stiùireadh
Air an iùl a nì dhuinn buannachd,
'S a chumail làidir ar beachd
An aghaidh reachdan a bhios gar buaireadh;
'S a bhith neartachadh ar n-inntinn
Rè na tìm bhios sinn air uachdar,
Gus an càirear fo na bùird sinn
Far nach bi ar dùil ri gluasad.

Laighidh sinn gu socair sàmhach
Far am fàgar anns an uaigh sinn,
'S cha bhi cùram oirnn mu dheidhinn
Nì bhios às ar dèidh an uair sin;
Gun èirich sinn uile còmhla,
Ann an dòchas fhaotainn bhuaithe
Sonas mòr th' aig Rìgh na Glòire,
Ach 's e còmhrag a nì bhuannachd.

Nam bitheamaid umhail nar gluasad,
Iriosal gach uair le cùram,
A' cuimhneachadh air gach fàbhar
A rinn ar Slànaighear dhuinne,
Biomaid iriseil gun mhoit, ach
Strìochdte gus ar crois a ghiùlain,
'S gheibheamaid duais bhon Athair
Nuair a thigeadh là na cunntais.

Is mòr an sòlas bhios nar n-inntinn
Mura dìobair e sinn bhuaithe,
Aoibhneas nach urrainnear innse
Ged a tha na mìltean luaidh air;
Gheibh sinn uile mar a thoill sinn,
'S chan eil foill nach tig an uachdar,
'S bidh ar smaointeannan 's ar briathran
Comh' rir gnìomhannan an uair sin.

Mu gheibh sinn còir air an Rìoghachd
A chaidh uidheamachadh bho thùs dhuinn,
Mura caill sinn ler toil fhìn i,
Chaidh a gealltainn cinnteach dhuinne;
Mura dèan sinn toil an dreagain
A mheall Eubha leis an ùbhla
Nuair a bha i 'n Gàrradh Èdein,
Rud a dh'fhàg gu lèir sinn rùisgte.

Ged tha an saoghal seo gar dalladh,
Na bheil an sealladh ar sùl dheth,
Chruthaich an t-Athair is am Mac
'S an Spiorad Naomh le neart an triùir e;
Tha iad nan aon air a' chathair
Ged a chanas sinne triùir riu;
Builichidh iad an gràsan oirnne
'S riaghlaidh Righ na Glòire dhuinn iad.

Ged a b'ann air bhàrr na fairge
No air garbhlach mòr nan stùc-bheann,
Gun taigh, gun duine nar faisge,
Ma leanas sinn beachd an triùir ud –
Ged a gheibheamaid am bàs ann
Mar a tha e nàdarra dhuinne,
Bidh sinn sona fad na sìorrachd
Ma dheònaicheas Dia nan Dùl dhuinn.

Òrain le Catrìona NicDhòmhnaill, piuthar Sheonaidh

Am Meall, Taigh Sheonaidh 2015.
(Dealbh le Liam Alastair Crouse)

Òran na Sùl

"Bha rud ceàrr air a sùil agus bha e eagalach doirbh dhi faighinn air falbh gu *specialist* fhaicinn an Dùn Èideann airson feum a dhèanamh dhan t-sùil aice. Agus bha duine còir a' tighinn gu Hotel Loch Baghasdail a dh'iasgach a h-uile samhradh – Dr Hodson, a bha na Phroifeasair anns an Royal Infirmary an Dùn Èideann. Agus fhuair am fear sin dòigh air Bean 'Illeasbaig Sorcha a thoirt leis, 's tha i 'g innse anns an òran mar a bha a' phasaids aice 's cho dona 's a bha an t-sìde." - Iain Pheadair

Leig dhìot an cadal is tionndaidh rium,

   Leig dhomh mar a tha mi 's mo làmh-sa rid chùl;

Leig dhìot an cadal is tionndaidh rium.

Gur mis' tha fo mhulad a' falbh air mo thuras,
'S ged dhèanainn-sa fuireach, tha cunnart san t-sùil.

Nuair chrom mi gu h-ìseal 's a fhuair mi dhan *steerage*,
Cha robh ann air an sìninn ach pìosan de shiùil.

Dol seachad Ceann Bharraigh bha an fhairge na steallan,
'S bha dùil a'm rim mhaireann nach ruigeadh i null.

Bha ise gu h-uallach air bhàrr nan tonn uaine,
Muir a' bristeadh mu guaillean 's mo luaidh air a stiùir.

Nuair ràinig i 'n t-Òban thuirt fir a bha eòlach
Gur math gun do sheòl i gun lòradh dhan ghrunnd.

Nuair ràinig mi 'n *station* am Baile Dhùn Èideann,
Bha mise gun Bheurla 's chan èisteadh iad rium.

Gur mis' tha fo èislean an seo an Dùn Èideann,
'S nach fhaic mi thu, eudail, 's gun lèirsinn san t-sùil.

Nuair tharraing iad sìos mi air bara gam riasladh,
Cha robh mise gun dìon is Dia os mo chionn.

Thuirt Hodson gu cinnteach – 's ann aige bha 'n fhìrinn –
Gum feumadh e sgrìobadh gu h-ìseal fon t-sùil.

Thuirt Dotair a' chraicinn 's e tionndadh le facal
Gum feumadh e plastar chur faisg air an t-sùil.

Mo Chridhe Cho Trom

"Catriona nighean Dhòmhnaill 'ic Iain Bhàin a rinn e, is i anns an ospadal, 's bha i cho math, cha robh iad ga cumail anns an leabaidh idir. Bha i air a cois. 'S an latha seo chaidh an teine às. Cha robh fios aca air an t-saoghal dè an leisgeul a ghabhadh iad no ciamar a bheireadh iad beò an teine. Agus dh'fhalbh ise 's ràinig i – bha Iain, mac an Tàilleir, bha e anns an ospadal cuideachd, 's dh'fhalbh i sìos far an robh Iain, 's bha Iain anns an doras ga feitheamh 's e ga coimhead a' tighinn. Agus dh'fhaighnich e dhith dè bha ceàrr 's thuirt i gun deach an teine às." Is "Carson," ars esan, "nach do smàl sibh e?"

Mo chridhe cho trom ho rò hog ù,

      'S mi gul na tè duinn on dh'fhàg i sinn;

Mo chridhe cho trom ho rò hog ù.

Sa mhadainn a thachair an teine dhol às oirnn,

Gu robh sinn air fad air ar nàrachadh.

Nuair ràinig mi 'n doras bha Iain a' coimhead –

'S ann thuirt e, "Carson nach do smàl sibh e?"

'S e 'n leisgeul a ghabh mi, bha 'n similear salach

'S bha 'n t-eagal oirnn àinean fhàgail ann.

Cha tuirt mi guth idir ach falbh leis an t-siofal

'S gu faighinn rud beag o na nàbainnean.

Òrain le Iain Caimbeul, Iain Clachair

Iain Caimbeul, Iain Clachair.
(Tasglann Taigh Chanaigh)

Geòla Mhic-a-Phì

B' e Eàirdsidh Mac-a-Phì athair Ailig Mhic-a-Phì, a bha aig aon àm ag
obair air a' chidhe ann an Loch Baghasdail is leis an robh a' gheòla.

Hug ari o, hug ari o, hug ari o, hug ari o,
    Ho ro, hug ari o, tha mi sgìth, 's chan eil e neònach.

Thug mi geòla Mhic-a-Phì leam,
Fhuair mi ànradh nach creid sìbhse:
Bha mi ga h-iomradh le dìcheall
Gus an robh mi sgìth gu leòr dhith.

Bha i dìreach bhon ear-thuath, is
Cha robh oirr' ach coltas gruamach –
Dh'aithnich mi gum biodh i cruaidh orm
Nuair a ghluais mi on Taigh-Stòir.

A-null sruth Àirigh nan Gallan
Bha mi dìreach gu toirt fairis:
Chuir mi mo bhuinn ann an tacsa –
Bha mi faicinn gum b' e 'n dòigh e.

Dol seachad sgeirean an Eilein
Chan fhaca mi riamh a leithid :
Bha ise dol fodha steadaidh,
An toiseach 's an deireadh còmhladh.

Nuair a cheangail mi na riofairean
'S ceithir na còig a chinn ann,
Thuirt an fheadhainn a bh' air tìr,
"Cha tig an dìle chithear beò e."

Nuair a fhuair mi fasgadh Ghàsaigh,
Dh'fhàs mi 'n uair sin na bu dàine –
'S ann a chruadhaich mi na b' fheàrr às,
'S leigeadh am bàta gu seòladh.

Bha *log line* agam a' feuchainn
Gu dè an t-astar bha i dèanamh,
Chartaichean, 's iad air mo bheulaibh,
A h-uile sìon agam cho dòigheil.

Nuair a thàinig beul na h-oidhche,
Thòisich lasadh air gach lainnteir;
Chuir mi fear dearg airson "Danger"
Air *port* side dhith mar bu chòir dhomh.

Nuair a ràinig mi an cidh' leatha
'S a bha i air gabhail uimpe.
Fhuair mi glainne chruaidh on Ìleach
De stuth prìseil Mhic an Tòisich.

A' Bhriogais Mhòilsgin

Bha mi ag innse dham charaid
Na fhuair mi fhìn de dhamaist' –
'S ann a thubhairt Aonghas Mac Ailein,
"Nach damaint' nach robh mi còmh' riut!"

Tha An Taigh-Stòir, Sgeirean an Eilein agus Gàsaigh uile anns
an sgìre mun cuairt Loch Baghasdail, agus 's e sruth-mara a
th' ann an Àirigh nan Gallan, ri taobh an Taigh-Stòir an taobh
a tuath Ghleann Dail. 'S e inneal a bhathas a' cur a-mach air
deireadh bàta airson a h-astar a thomhas a th' ann an *log-line*.

LOCHBOISDALE.

"Nuair a ràinig mi an cidh' leatha
'S a bha i air gabhail uimpe.
Fhuair mi glainne chruaidh on Ìleach
De stuth prìseil Mhic an Tòisich."
Sgoth aig cidhe Loch Baghasdail c. 1910
(Cruinneachadh Linda Gowans)

Fhuair mi briogais de mhòilsgin,
'S bha i saor mar bu chòir dhi –
Tà, cha robh i ro bhòidheach
Ann an dòigh thèid mi ràdh ribh:
On a chroch mi i chiad uair
Gus an deach i na h-iallan,
Cha robh latha sa bhliadhna
Nach robh i 'g iarraidh a càradh.

Nuair a chaidh mi ga ionnsaigh,
Thuirt am marsanta riumsa,
"Bheir mi dhut cunnradh –
Briogais ùr ghlan on tàillear;
Bheir dhomh trì is sia sgillinn
'S gu dè 's fheàrr dhut na sineach –
Ged nach maireadh i mionaid dhut,
Bhiodh i ginidh aig càch ort!"

Chreid mi 'n uair sin a bhriathran,
'N dùil nach innseadh e breugan,
'S chuir mi null mar a dh'iarr e
Ged nach b' fhiach i ach pàirt
Dhe na thug mi seachad a dh'airgead,
'S nach robh ann ach an t-ainm dhith –
Niste chunna mi 'm bargan

Nuair bha mi searbh dhith ga càradh.

Siud a' bhriogais bha daor dhomh,

Mar a thuigeas na daoine;

Bha mi 'n sàs innte daonnan –

'S iomadh aon thug dhomh snàthad;

Eadar phutan is aodach

Is pìos a dhìth oirre daonnan,

Bha i not, tha mi smaointinn,

Eadar saothair is càineadh.

Chan eil feum a bhith cantail

Na bhith 'g innse mar thachair –

Tha mo bhriogais-sa seachad,

'S cha robh i math, tha mi 'g ràdh ribh!

Nuair a thug mi i dhachaigh,

Bha gach aon rium a' cantail,

"'S i tha brèagha san dath"

Agus "Meal is caith i!" ars àsan.

Saoil an urrainn dhomh innse

Mar a ghiorraich i m' inntinn,

H-uile là agus oidhche

'G iarraidh pìos gus a càradh;

Nuair a chromainn no dhìrinn,

Chluinninn sracadh gu h-ìseal,

Gus na dh'fhàs mi cho sgìth dhith

'S thug mi dìreach dhan cheàrd i!

A' Bhriogais Uallach

Leis a' bhriogas uallaich, horo-o hì,

Leis a' bhriogais uallaich, ho ri ho rò,

Briogais an duin' uasail, horo-o hì –

'S iomadh duine chual' i nach robh na còir.

Siod a' bhriogais fhasanta, horo-o hì,

A' bhriogais a bh' agamsa, ho ri ho rò;

Bha i mù 's fada dhomh, ho ri ho rò,

'S gad a chanainn, farsaing air a h-uile dòigh.

'S chaidh mi chun an tàilleir, horo-o hì,

'S gun gearradh e pàirt dhith, ho ri ho rò;

Thuirt e airson pàigheadh, horo-o hì,

Gun dèanadh e dhà air na bh' innte chlò.

'S dh'fhaighneachd iad an cothromachd, horo-o hì,

A bheil i ga do thoileachadh, ho ri ho rò:

Na ghabh à do thomhasan, horo-o hì –

Thuirt mi gura coltach gun do ghabh is còrr.

Cha robh innt' ach diùbhaidh, horo-o hì,

B' fharsaing anns a' chùl i, ho ri ho rò;

Gad a rachadh triùir innt', horo-o hì,

Ghabhadh i co-dhiù iad, ge brith an còrr.

Saoil nach robh i cunnartach, horo-o hì,

Nuair a chuir mi umam i, ho ri ho rò;

Shaoil iad nach robh duin' innte, horo-o hì,

Gus an cual iad bruidhinn agus thuirt iad "Ò!"

Màiri, a' bhean aig Iain Clachair
(Tasglann Taigh Chanaigh)

Òran an Tombaca

Tha mi fo airsneal gun tombaca,

Chan eil m' aign' ach ìseal;

Chan eil mi sgaiteach airson fhaclan

A chur ceart no 'n innse;

Ach tha mi an dòchas o Dhidòmhnaich

Gun tig oirnn an *steamboat*

'S gu faigh MacDhòmhnaill rud na dhòrn dheth*

'S nach bi 'm bròn-s' air m' inntinn.

Ach nuair a chluinneas mi gun tig e,

Nì mo chridhe dìreadh –

Gum falbh mi sìos, chan ann air sìothladh

Ach le fìor dheagh shinnteag;

Gun ruig mi 'm bùth, ged bhiodh e crùn,

Gum faigh mi punnd mun till mi;

'S bu shuarach tastan leam an-dràsta

Seach aon làn na pìoba.

O thuit dhomh 'n-dràst' gu bheil mi gann dheth

'S beag mo shannt air dinnear;

Cha ghabh mi port no òran ceart,

Cha dèan mi car ach sìneadh –

O, treis nam chadal, treis nam dhùsgadh,

Gun sgath tùir nam inntinn –

O, 's mi bhiodh aigeannach ag èirigh

Dol a ghleusadh pìoba.

'S e dh'fhàg mi falamh dheth an-dràsta
Gun d' theirig e san tìr seo
'S nach deachaidh mi nam tharrainn tràth
Air chor 's gun càidsinn pìos dheth;
Gur tric a bha mo spliùchdan làn,
Ged tha e an-dràst' gun sìlean,
Ach mar a bha 'm fear roimhe 'g ràdh,
"Cha robh àrd nach b' ìseal."

Gum b' fhurasta sin innse dhòmhsa –
Gur e leòn mo chrìdhe
Cho tric 's a bhiodh mo làmh nam phòca
'S gun bhith cothachadh sìlean –
O, cha robh ciste 's cha robh spliùchdan
An robh cùil am bìodh e
Nach fhad a rùilich mi gu dòigheil,
'S cha robh òirleach *free* dheth.

Ach ged a rachainn dhan an leabaidh,
'S airsnealach bhios m' inntinn –
Ma nì mi cadal chì mi aisling
'S i gun fhacal fhìrinn:
Chan ann air dad ach an tombaca,
'S gu dè math dhomh innse,
Ach nuair a dhùisgeas mi sa mhadainn
Bidh an tombac' a'm chuimhne.

O thuit dhomh 'n-dràst' gu bheil mi falamh
Gu dè math dhomh innse –
Bhon àm sco 'n-earar bidh rud agam
'S cabhag air a' *steamboat*;
Cha ruig mi leas bhith cantail facal
Airson fad na tìm sin,
'S gur h-ioma h-aon a bha gun srad
Nuair bu phailte bhìodh e.

'S chan ann mar sin a dh'èirich dhòmhsa –
Bhiodh mo phoca lìonte,
'S mo làmh an-còmhnaidh ga chur dòigheil,
'S ann bhiodh stòlda m' inntinn;
Ach thèid mi sìos far a bheil Dòmhnall,**
'S ged bhiodh còrr is mìl' ann,
Gu faigh mi punnd dhen Bhogie Roll
Ged bhiodh e gròt an sìlean.

Ach nuair a gheibh mi 'm punnd sin agam
Lasaidh mi mo phìoba
Agus bheir mi smoc do dh'fhear bhios falamh –
Bidh gach dad nam chuimhne;
Cha dìochuimhnich mi rim mhaireann
Do gach fear a choibhneas –
A h-uile h-aon thug smoc no dhà dhomh,
Bidh e pàight' tri-fìllte

Togaidh e dhìom sgìths is airsneal,

Falbhaidh sac bhàrr m' inntinn

Seach mar a bha mi bho chionn seachdain,

'S mi gun fhacal bruidhneadh –

O, 's tric mo shùil air bun an locha

Feuch an nochd an *steamboat*,

'S cha dèan mi 'n còrr dheth ghràitinn tuilleadh –

Bidh mi sguir dhe innse.

B'e seo bùth Ailein Mhòir an Dalabrog (A. C. MacDonald)

** *Dòmhnall Fearghastan, aig an robh bùth far a bheil Boisdale House an-diugh*

Òran an Uisge-bheatha

Ged thug an t-uisge-beatha sin mo char asam a-raoir,
Cha dèan e nochd na 'n ath-oidhch' e – gum bi gach dad nam chuimhn';
Is duilghe leam mar tha mi 'n-diugh a' gearain cràdh mo chinn,
Gun bhiadh gun deoch a chòrdas rium - ach dh'òl mi cupa tì.

'S dh'òl mi sin gu aindeonach, 's cha do ghabh mi aona ghrèim –
An rud a bhios gu tachairt, gu dè 'm math a bhith air bruidhinn;
Ghabh mi an daorach dhamainte thug asam pàirt dhem shuim,
'S a h-uile duine bruidhinn nach eil unnam ach a' ghloidhc.

Ma thèid mi ràdh na fìrinne 's gun inns' mi mar a bha,
Bha iomadh car a dhìth orm a-raoir seach mar a b' à'ist;
Tha mi an-diugh trom-inntinneach, 's mi cuimhneachadh mar bha,
Gam shuainteadh anns an leabaidh, is tighinn aiste chan e 's fheàrr.

'S nuair a dhùisg mi anns a' mhadainn, cha robh an cadal ach mar bha – .
Bha grèim 'nam cheann 's nam chasan, 's cha b' e 'n stamag dad a b' fheàrr;
'S ann bha mi anns na *horrors*, ged is dona dhomh ga ràdh –
'S e bròg na coise deise rinn mi dhinneadh mun chois cheàrr.

Tha mi fhìn ag aithneachadh gun deach mi fada ceàrr
Ag òl an uisge-bheatha sin 's gun stamag agam dha;
Ged a gheibhinn glainne, 's e bu mhath leam ach a dhà,
'S tha h-uile rud a th' ann an dèidh mo cheann a chur cho ceàrr.

Tha mi air mo nàrachadh – gu dè 'n stàth dhomh bhith ga inns'?
Mi 'n-diugh cho truagh 's a b' àbhaist dhomh 's nach fhaigh mi làn a' phinnt;
'S tric mi dèanamh phlànaichean air dòigh no dhà no trì –
'S e dh' fhàgadh socair, saidhbhir mi taigh-seinnse beag dhomh fhìn!

A' Chutaidh Ghlas

'S e dà chù a bh' anns a' Chutaidh agus an Spotty, 's b' e Màiri Flòraidh
màthair Ruairidh Eàirdsidh Sheumais.

'S gu bheil mi a' faicinn a' Chutaidh, 's mar a thug e gu mì-mhodh –
Nach àill leis laighe àite ach gu h-àrd air a' bheingidh;
Innsidh mise dhut facal, faodaidh tu ghabhail mar fhìrinn,
Gun tèid dìreach do shlaiseadh mura laigh thu gu h-ìseal,
A Chutaidh ghlais.

'S nuair a bha thu nad chuilean is nach b' urrainn dhut dìreadh,
Rinn Màiri Flòraidh dhut cleachdadh – chùm thu fhathast air cuimhn' e;
Bhon a rinn thu dheth fasan 's nach leig thu seachad a chaoidh e,
Gun tèid ròpa mad amhaich 's do chur a-mach aig a' bhìdhear,
A Chutaidh ghlais.

'S mura brith gu robh mòr leam, 's gun mi deònach do bhàthadh,
Gheibhinn bìdeag do ròpa agus chuirinn dòigh air a-màireach;
Thàirninn sìos chun a' chladaich thu, 's mi gad tharraing gu làidir,
Agus thilginn thu 'n uair sin thar mo ghuailne dhan làthaich,
A Chutaidh ghlais.

'S cha bhi partan no crùbag a bhios an taobh seo de Chanaigh
Nach cruinnich uile gad ionnsaigh, 's thèid na sùilean thoirt asad;
Bidh thu 'n sin nad bhall-bùird, bidh gach cù ort a' fanaid –
Gum b' fheàrr dhut laigh' air an ùrlar ged bhiodh a' bhrù agad falamh,
A Chutaidh ghlais.

'S nach seall thu fhèin mar tha Spotty, 's e cho socair fon bheingidh,
A chluasan daonnan ri claisneachd an uair a theannadh ri èigheachd;
'S tusa an uair sin nad chadal, gun dad a chabhag gu èirigh,
'S mar a chaidh thu nad bhugair, chan urrainn daoine bhith rèidh riut,
A Chutaidh ghlais.

Òrain le Ruairidh Caimbeul, 'Ròideag'

Ruairidh "Ròideag" Caimbeul.
(Dealbh le teaghlach nan Caimbeulach.)

Nuair Bhios Mi Leam Fhìn

Nuair bhios mi leam fhìn, bidh tu tighinn fa-near dhomh –
Mach air bhàrr nan stuagh, O, bidh tu, luaidh air m' aire;
Nuair bhios mi leam fhìn, bidh tu tighinn fa-near dhomh

'S mise tha fo mhìghean a' stiùireadh na h-iùbhraich –
Ciamar bhios i dìreach 's nighean innt' air m' aire;
Nuair bhios mi leam fhìn, bidh tu tighinn fa-near dhomh.

'S tha h-athair is a màthair, daoine laghach bàidheil,
Thàinig far an t-sàile à Uibhist àrd nam beannaibh;
Nuair bhios mi leam fhìn, bidh tu tighinn fa-near dhomh

'S tric a bha mi shuas air Windsor Street 's tu air chuairt ann
'S beag a bh' orm a ghruaimean dol leat suas am baile
Nuair bhios mi leam fhìn bidh tu tighinn fa-near dhomh

Theireadh luchd na bòilich riut gu robh mi gòrach –
Chumainn-sa do lòn riut mar fear òg sa bhaile;
Nuair bhios mi leam fhìn, bidh tu tighinn fa-near dhomh.

Theireadh luchd an tuaileis riut nach cumainn suas thu –
Nist, ma bheir iad bhuam thu, bidh mi, luaidh, gun chadal;
Nuair bhios mi leam fhìn, bidh tu tighinn fa-near dhomh.

'S ma chuireas tu cùl rium cha bhi mi ach tùrsach –
Fàgaidh mi Bhancùbhar 's thèid mi null a dh'fhantail;
Nuair bhios mi leam fhìn, bidh tu tighinn fa-near dhomh.

Ruigidh mi mo mhàthair an Uibhist nam beann àrda;
Scinnidh mi an dàn mun nìonag bhàn a mheall mi;
Nuair bhios mi leam fhìn bidh tu tighinn fa-near dhomh.

Bha Ruairidh na fhleasgach aig Màiri Dhòmhnaill Nìll nuair a phòs i
Ailean MacAonghais à Èirisgeigh ann a Bhancùbhar.

O mo nìonag

O mo nìonag, nach sinn a bha thall,
O mo nìonag, nach sinn a bha thall;
O mo nìonag, nach sinn a bha thall
An gleann na smeòraich fo cheòthar nam beann.

Gur tric ort mi smuaintinn gach uair 's mi leam fhìn –
Cho fad 's tha thu bhuam dh'fhàg luaineach mo chrìdh',
Na deòir ri mo ghruaidhean is tuaineal nam cheann
Bhon dh'fhàg mi fo leòn thu fo cheòthar nam beann.

'S ann ort a tha 'n cuailean na dhualan a' fàs.
E sìos ma do ghuaillnean na chuairteagan tlàth;
Do ghruaidh mar na ròsan, troigh chòmhnard gun mheang
Gu siubhal na mòintich fo cheòthar nam beann.

Gur tric thug sinn cuairt, sinn gun uallach gun sgìths,
A-mach feadh nam bruach agus suas tro na glinn,
'S on dhealaich mi bhuat tha mo smuaintean gach àm
Mun ghaol thug mi òg dhut fo cheòthar nam beann.

Nam chadal 's nam dhùsgadh 's tu dhùraiginn ann,
'S nach fhaic mi tè bhòidheach their sòlas nam cheann;
Nuair bhitheas tu deònach, gun seòl mise nall,
Gun dèan sinn ar còmhnaidh fo cheòthar nam beann.

'S ma gheibh mi mo dhùrachd, tha dùil a'm gun dàil
Gur ruig mi a-null innis chùbhraidh mo ghràidh,
'S ged tha mi san uair seo thar chuan fada thall
Tha m' inntinn lem òg-bhean fo cheòthar nam beann.

A Pheigi a Ghràidh

B' i Peigi Peigi NicDhòmhnaill, Peigi Sheonaidh 'ic Dhòmhnaill 'ic Lachlainn.

A Pheigi, a ghràidh, 's tu dh'fhàg mi buileach gun sunnd,

'S mi seòladh an-dràst' thar sàil dh'Astràilia null;

Tha 'n oidhche fliuch, fuar, 's mi shuas ga cumail air chùrs,

'S tu daonnan nam smuain, a luaidh, bhon dhealaich thu rium.

Bhon dhealaich thu rium 's neo-shunndach m' aigne gach là,

'S mi seòladh a' chuain, 's gach uair gam sgaradh od ghràdh,

'S ma thug thu dhomh fuath 's nach dual dhomh d' fhaighinn gu bràth,

Gum faic thu led shùil, a rùin, nach bi mi fad' slàn.

Cho fad' 's thèid mi null bidh dùil a'm tilleadh a-nall,

Far na dh'fhàg mi mo rùn fo thùrs' am baile nan Gall,

'S gun tèid sinn le sunnd a-null do dh'Uibhist nam beann,

Far 'm faigh mi ort còir le pòsadh ceangailte teann.

Ma gheibh mi ort còir, rim bheò chan fhaic mi ort dìth,

Gun toir mi dhut lòn gu leòr far muir agus tìr;

'S ged theireadh an sluagh, a luaidh, nach dèanainn dhut nì,

Gun cuirinn am bàrr, a ghràidh, ged 's maraiche mi.

Ged 's maraiche mi tha sgìth a' treabhadh a' chuain,

Bha 'n iomadach àite, ceàrnan deas agus tuath,

Chan fhaca mi ann tè Ghallta thigeadh riut suas,

A bhean a' chùil bhàin chaidh àrach 'n Uibhist nam buadh.

An Uibhist nam buadh gur truagh nach robh mi leat thall,

Is fàinne den òr mud mheòir gar ceangal le bann,

'S ma thilleas mi, luaidh, thar chuain an turas seo nall

Dh'Àird Choinnich thèid sinn le cinnt gar ceangal gu teann.

Gun sguir mi den dàn mum fàs sibh uile dheth sgìth,

'S gun tuig sibh mo chàs 's mi 'n-dràst' cho fada bho thìr,

Ach an rud tha mi 'g ràdh, gu bràth gun aidich mi fhìn,

Taobh tuath Loch a' Chàrnain dh'àraicheadh cailin mo chrìdh'.

Fàgail Loch Baghasdail

Peigi Sheonaidh 'ic Dhòmhnaill 'ic Lachlainn à Rubha Ghaisinis (na suidhe) c. 1930. B' ann dhith a rinn Ròideag an t-òran "A Pheigi a Ghràidh."
(Dealbh le Raonaid agus Raghnall MacFhionghain.)

Chan iongnadh mi bhith tùrsach, 's na deòir nan sruth bhom shùilean,
'S mi nochd a' cur mo chùl ri tìr m' eòlais;
A' fàgail mo chuid chàirdean, mo phcathraichean 's mo bhràithrean,
Is m' athair is mo mhàthair, 's e leòn mi.

An uair a dh'fhàg i Calbhaigh 's a thog i mach gu fairge,
Dol seachad cladach garbh Rubh' na h-Òrdaig,
'S mi faicinn Sgòr an Fhèidh dol à sealladh às ar dèidh
Is Bàgh Hartabhagh le sprèidh air a' mhòintich.

Nuair a ràinig sinn a-null eadar Canaigh agus Rùm
Is a sheat i air a cùrsa dhan Òban,
Gur ann a bha mo smuaintean air Uibhist nan gleann uaine –
Chan fhaicinn an uair sin sa cheò e.

Ged is iomadh àite anns an robh mi greis a' tàmhachd,
Chan fhac' mi na thug bàrr ann am bòidhchead,
Air eilean gorm mo ghràidh far an do thogadh mi nam phàist',
Dham bi mo chridhe blàth fhad 's as beò mi.

Ged as adhbhar tùrsa dhomh nochd bhith cur mo chùl ris,
Chan fhada gu 'm bi dùil a'm mas beò mi
Bhith sgur dham obair riaslach a' seòladh nan tonn fiadhaich –
'S e dh'fhàg cho glas mo chiabhag ged 's òg mi.

Carson a bhithinn cràiteach, 's an ùine nis cho geàrr

Gus am bi mi san *Lochearn** anns an Òban;

Ged bhiodh a' mhuir a' gàirich, cha chùm e i gun fhàgail,

'S gu Loch Baghasdail mo ghràidh nì i seòladh.

*Bha an MV Lochearn, tè de bhàtaichean Mhic a' Bhriuthainn, a' seòladh eadar an t-Òban,
Loch Baghasdail agus Barraigh eadar 1930 agus 1955.*

*"Carson a bhithinn cràiteach, 's an ùine nis cho geàrr
Gus am bi mi san Lochearn anns an Òban;"
MV Loch Earn 1931.
(Tasglann Leabharlann Mitchell ann an Glaschu.)*

Fàgail Ghlaschu

An àm bhith fàgail Ghlaschu sa mhadainn mhoich Dimàirt,

Bha m' inntinn trom fo airsneal 's mi cho fad bho thìr mo ghràidh,

A' fàgail mo luchd-eòlais anns a' bhaile mhòr a' tàmh,

Na deòir nan sruth om shùilean, 's mi cur cùlaibh ri mo ghràdh.

Chan iongnadh ged bhiodh cianalas am-bliadhn' orm is gruaim;

Tha falt mo chinn air liathadh, 's chan eil iall dheth a bhios buan,.

Is ged nach eil mi aosta, thàinig caochladh air mo shnuadh

On dh'fhàg mi an t-eilean àlainn, Uibhist àrda nam beann fuar.

'S e Uibhist tìr as bòidhche leam tha 'n-diugh fo neòil nan speur:

Gur tric a shnàmh an ceò air a' Bheinn Mhòir 's mu Sgor an Fhèidh,

'S a-staigh gu gualainn Mhaireabhal, far 'm minig a thàmh an sprèidh,

'S bu tric a thug mi ruaig ann, 's b' e mo luaidh bhith às an dèidh.

Ach b' fheudar Uibhist fhàgail 's tighinn a thàmh am measg nan Gall –

'S e dh'fhàg a-nochd sa bhàta mi 's mi mach air bhàrr nan tonn,

An fhairge 's i na smùid agus an stiùir agam nam làimh,

'S a cùrsa o Cheann Èirinn leinn gu Buenos Aires thall.

Nuair thèid mi chon na cuibhle nuair bhios an oidhche fuar,

Gur tric a bhios nam inntinn-sa an nì dhan tug mi luaidh;

Bu mhath dhomh bhith nam chìobair seach bhith mach fo bhinn nan stuadh –

Gum faighinn cadal socair dh'aindeoin osnaichean a' chuain.

Ach tha gillean gasta innt' cho math 's a' dh'fhàg an tìr –
Tha Dòmhnall ann is Alasdair, tha Cailean ann 's mi fhìn:*
An Uibhist nam beann àrda 's ann a dh'àraicheadh na suinn,
'S gun cluinnte fuaim na Gàidhlig 's iad gu h-àrd air bhàrr a' chruinn.

Ach sguiridh mi den dàn seo – chan eil mo chàileachd ann;
Chan eil mi na mo bhàrd, cha deach na tàlantan nam cheann;
Mas e gu bheil e 'n dàn dhomh tilleadh sàbhailt' innte nall,
Gun gabh mi bàt' na smùide 's thèid mi null gu Tìr nam Beann.

Tha Maireabhal mu choinneamh an taighe anns an do thogadh Ruairidh.

*Dòmhnall Thormoid Iain à Cille Pheadair, Alasdair Ruairidh Thormoid
(MacAonghais), Cailean Ruair' 'ac Dhòmhnaill (Walker)

Bhòidse gu Bhancùbhar

Mo luaidh a chunnaic mi an-diugh, 's gur luath leam a dhealaich sinn;
Mo ghràdh a chunnaic mi an-diugh, gur muladach a tha mi.

Gur mise tha gu brònach 's mi 'n-diugh a dol a sheòladh,
A' toirt a-staigh nan ròpannan 's mi dol air bhòids' thar sàile.

Sìos tro Abhainn Chluaidh, bha sealladh brèagh' mun cuairt dhinn,
Gach fear 's a *lass* ri ghualainn, ged 's fhada bhuams' a tha i.

Tha aon rud ann tha còrdadh rium: tha gillean gasta còmhla rium,
Tha 'n Dondaidh ann 's an Dòmhnallach, 's Niall Caimbeul – 's còir dhomh àireamh.

An Dondaidh gur e Barrach e, Niall Caimbeul gur e t-Hearach e,
An Dòmhnallach mo charaid-sa, 's e Glaschu àite-còmhnaidh.

'S ann chanas iad, "A Ruairidh," rium, "carson tha thu is gruaimean ort –
Cho luath 's gu ruig sinn Cluaidh gun tèid sinn suas gu Niall MacÀidh."

Ach mhionnaich mi is bhòidich mi gun sguirinn dhe mo ghòraiche,
Deur tuilleadh dheth nach òlainn-sa, ged gheibhinn stòr na Banrigh.

Òran Bàta Maclay

Nuair thilleas mise 'n turas seo, an Glaschu chan fhuirich mi,

Ach gheibh mi deas fom uidheam 's thèid mi dh'Ùibhist nam beann àrda.

Gheibh mi bàt' na smùide, às an Oban nì i cùrsa leam

Air Loch Baghasdail mo rùin far bheil dùil aca gach là rium.

Gur e mise a tha tùrsach sa *Chommerce*, 's mi ga stiùireadh,

A h-aghaidh air Bhancùbhar, 's gur fada null a thà e.

'S gur mise tha cianail,

Gur fada cian mi thar sàile

Is mi sa bhàt' aig Maclay –

B' e sin a' bhèist, tha mi 'g ràdh ribh;

Gun mi faotainn de bhiadh innt'

Ach an sionnsalach grànda

'S mura till i gu Grianaig

'S e seo a' bhliadhna bheir bàs dhomh

Mum faigh mi aist'.

'S gur e mis' tha gu tùrsach

'S i air a cùrs' dha na Stàitean,

Mi gun fhios a'm dè 'n ùine

Mum bi dùil rithe dhachaigh;

Mar tha cùisean cho cruaidh oirnn,

An t-uisge fuar a bhith glàist' oirnn',

'S gun mi a' faotainn san uair ud

Na chuireas cuairt air mo charcas,

Gam chumail glan.

'S gum bu *lucky* a' chùis dhuinn
Gur ann an Cùba a stad i,
Dol a luchdachadh siùcair
Ann an dùil ri thoirt dhachaigh;
Ma nì Freastal mo chùmhnadh,
Cha bhi 'n ùine ro fhada
Gu 'm bi poc air mo ghualainn
'S mi coiseachd suas leis gu snasail,
A' tarraing aist'.

'S gu bheil gillean innt' còmh' rium,
Balaich òg agus ghasta,
Dòmhnall Iain agus Walker
'S Murchadh Òg Mac a' Phearsain,
Agus Sealtainneach Gallta
'S MacAmhlaigh an t-Hearach,
Agus bodach beag, neònach
Nach eil ro eòlach air marachd -
Ged tha e sean.

'S nì mi innse man bhodach
A tha 'n toiseach a' bhàta –
Ged tha e car crosta,
Tha e snog leis an t-snàthaid:
Chuir e pìos air mo bhriogais
A chosgadh ginidh aig tàillear
Agus putan nam lèine,
'S chan fheumainn a chàineadh –
An duine gast'.

Chan eil an obair na shùgradh,
Eadar sgùradh is peantadh –
'S tric mi sìos air mo ghlùinean
A' cur ùr air a deacaidh,
Teas na grèine gam leònadh
'S mi fliuch an-còmhnaidh le fallas –
Gur tric bhios mi 'g ràdh
Gur mòr a b' fheàrr bhith nam aiseal
Na bhith fon bhat'.

Bhòidse do dh' Astràilia

Ach mo mhionnan 's mo bhòidean,
Mas ann beò gheibh mi aiste,
Nach fhalbh mi rim bheò
Mach air bhòids' a bhios fada –
B' fheàrr leam greis thoirt sa phrìosan
Nam shuidhe cìreadh a' chalcaidh
Na bhi 'n seo mar a tha mi,
Faighinn bàs leis an acras –
Chan eil e math.

'S ged a theannain ri innse
Do luchd na tìr mar a thà mi,
'S gann gun creideadh iad bhuam e,
Mo chruas agus m' ànradh;
Gur tric bhios nam inntinn
Gur truagh nach mi bha nam thàillear -
Nam shaor, na nam chlachair,
Na, ged chanainn, nam cheàrd mi –
Seach bhith san *tramp*.

Ged chàin mi bàtaichean Shaw Saville,
Tha 'n t-aithreachas gam lèireadh
'S mi seòladh anns a' mhadainn
A dh'Astràilia air tè dhiubh;
Ged a fhuair mi beagan ànraidh
Sa *Mhahana*, rinn e feum dhomh –
Cha bhi mi nist' nam èiginn
Le grèibhidh 's buntàt'.

Bidh *chops* againn sa mhadainn
Air an gearradh aig a' bhùidsear –
Gheibh thu làn do bhroinneadh dhiubh,
'S bidh tuilleadh air a chùl sin;
Nuair thig àm na dinnearach,
Gu cinnteach gheibh thu sùgh ann;
Bidh buntàta leis na rùisg
'S cha bhi cùmhn' air a' chàl.

Bidh *curry* agus *rice* againn
Air madainnean Diluain –
Ged nach eil e math ri ithe,
Feumaidh sinne dèanamh suas leis;
Dimàirt nuair thig na *sausages*,
Gun orr' ach coltas gruamach,
Their Murchadh rium, "A Ruairidh,
Nach truagh mar a tha."

'S i an tì a' chuid as miosa

Ged tha *bully beef* gu leòr ann,

Beetroot ann is uinneanan,

'S rud beag dhen h-uile seòrsa;

Ach 's fheàrr e na bhith fuireach

Ann an Lunnainn aig a' Chòrnair –

Gum feum thu rud nad phòc' ann

Air neo gheibh thu 'm bàs.

Gur tric mi gabhail aithreachas

Mar a tha mi leis a' ghòraich,

Mar bhios mi gabhail ghlainneachan,

Is bidh barrachd ann 's as còir dhomh;

Ma bhios mi idir fadalach

Mum faigh mi tighinn air bòrd innt',

Gum faigh mi pàipear bòidheach

Nam dhòrn leis a' chàin.

Gur tric a bhios mi mionnachadh,

A' guidheachan 's a' bòidean

Gun tarraing mi air Glaschu

Is nach fhan mi aig a' Chòrnair –

Gun sguir mi dhen a' mharachd

'S thèid mi dhachaigh mar as còir dhomh,

'S gur mi bhios air mo dhòigh ann

Le feòil is buntàt'.

Tha m' inntinn-sa fo airsneal

Ged tha mi dèanamh òran:

Air bòrd sa *Mhatakana*

Chan eil dad agam de shòlas;

Nuair gheibh mi dha na Cartridges *

Is glainn' agam ri òl ann,

Gun inns mi dhan a' chòrr

Mar a thòisich mo dhàn.

* *Taigh-seinnse shìos aig an docaichean ann an Lunnain*

A Mhic Dhòmhnaill Iain Chalum

A mhic Dhòmhnaill Iain Chaluim, 's bochd an airidh bhith gad chàineadh –
An triop a dh'fhalbh mi gun am puicean, 's ann thug thu briogais bhàn dhomh:
Ged nach robh na putain innte, bha chuid ìseal dhith glè làidir –
Dhèanadh i peantadh is sùidseadh cho math ri tè ùr sa bhàta.

Bha seòrsa de sheacaid agam, 's i bha falach na cuid àird dhìom –
Cha do mhair i dhomh ach seachdain nuair a shrac i as na clàran;
Mura b' e Creigs 's e bhith innte, bha mi dìreach nam chùis-nàire –
Thug e seacaid dhomh ga-rìribh is putain innte chumadh blàth mi.

Dh'fhaighnich aoigh dhomh anns a' mhadainn, "Bheil crabhat agad, a nàbaidh?
Feuch an cuir thu i mud amhaich, on tha madainn ann tha grànda;
'S ma chuireas tu ort mo bhrògan, cha tèid deur dhad chòir dhen t-sàile,
Oilsgin agam anns a' chòrnair nì do chòmhdach chon nan sàilean."

Cha robh gam dhìth ach an t-sou-wester, 's bha tè mhath aig Eòghainn Pàpa –
Thuirt e, "Càirich ort i, Ruairidh, 's cumaidh i do chluasan blàth dhut.
Phàigh mi orra trì 's sia sgillinn ann an Liverpool mun d' dh'fhàg sinn,
'S cha drùidh orra gu sìorraidh ged shileadh gach deur san adhar orr'."

'S tha obair againn ri dhèanamh nach fhaigh sinn gu sìorraidh dòigh air,
Pìoban is cromagan iarainn againn gan cur sìos an-còmhnaidh,
Ròpannan gan cur gu h-ìseal, staoidh gan sìneadh mar as còir dhaibh,
Gus a bheil gach meòir is ìnean a th' orm dìreach air an sgròbadh.

'S oidhche Nollaig 'n àm dhuinn gluasad, Rìgh, gum b' uabhasach an t-sìde:
Gaoth an iar-dheas, frasan cruaidh ann, leis an fhuachd gu robh i millteach;
Curs' againn air Buenos Aires leis a' bhèist seo – 's mi tha sgìth dhith;
Mura b' e dìreach cùis na nàire, 's mòr gum b' fheàrr a bhith sa phrìosan.

Ach cha bhi 'n ùine ro fhada ma thilleas sinn dhachaigh sàbhailt'
Gus am bi sinn ann an Glaschu am measg nan caileagan as àille;
Nuair a gheibh sinn gu tìr gun tèid sinn sgrìob gu Niall MacÀidh –
Gheibh sinn bhuaithesan glè chinnteach botal dìreach dhen stuth làidir.

Òran na h-Airship

Nì mi ceathrannan òran a chur an òrdugh an-dràsta,

Chor gun inns mi mun bhòidse thug mi air bòrd anns an airship,

'S mi bhith falbh anns a' mhadainn a-chum 's gun glacainn am bàta

No gum bithinn nam amadan an Astràilia a' stèarbhadh,

'S cha bhiodh sin math.

Innsidh mise gun àicheadh mar a thachair a' chùis dhomh:

Falbh gu tìr anns a' mhadainn a dh'òl nan glainneachan leann ud –

Thuit mi 'n sin na mo chadal, 's bha mi car fada gun dùsgadh,

'S nuair a ràinig mi 'n cladach bha 'm Matakana 's a cùl rium

A' dol a-mach.

Cha robh fios a'm dè dhèanainn anns an riasladh a bh' agam,

Gun mi a' faireachdainn ro làidir, 's ann fhuair mi tàir leis an acras;

Bha mi cuideachd car pàithteach, 's gun chàil chuireadh casg air,

Ach 's e chùis bha dhomh nàrach nach fhaighinn àit' anns an caidlinn

Ged bhithinn rag.

'S ann a smaoinich mi 'n uair sin gu rachainn cuairt feadh a' bhaile,

Gun fhios nach fhaicinn duin'-uasal ghabhadh truas rium air m' aineol;

Ach cha bhiodh iadsan ach gruamach nuair thigeadh Ruairidh san t-sealladh,

'S chan fhaighinn sgillinn na feàrdain ged bhithinn a' sràidearachd fhathast

A-staigh 's a-mach.

'S ann a dh'fhalbh mi 'n sin anns a' mhadainn feuch am faicinn an t-àidseant,

Feuch an innseadh e dhomh dè 'n dòigh san glacainn am bàta:

Thuirt e rium anns a' Bheurla, "Cha bhi trèan ann gu màireach,

Ach innsidh mise dè nì thu: 's ann thèid thu sgrìob anns an airship,

'S cha bhi thu fad'."

'S cha robh cùisean gam chòrdadh dol air bòrd innt' sa mhadainn,

'S gun mi idir ro eòlach air na dòighean a bh' aice;

'S nuair fhuair i mu sgaoil, air feadh an t-saoghail a ghabh i:

Bha i shuas anns an iarmailt cho luath ri eun 's e na chabhaig

A' tarraing às.

Nuair fhuair i gu h-astar 's a thog i mach ris an aonach,

Bha mi sealltainn a-mach aiste feuch am faicinn an saoghal,

'S an uair a thug e mun cuairt i, 's i 'n impis bualadh sna craobhan,

Bheirinn fortan an uair sin gu robh mi fuar leis an daoraich

'S nach fhaicinn dad.

Cha bhi mi idir ga cheiltinn – bha mi fo eagal 's fo chùram,

'S bha mi ag ràdh nach b' e Freastal chuir an triop sa co-dhiù mi,

Is ged tha iomadach bliadhna bho nach robh mi shìos air mo ghlùinean,

Bhon a ghluais i bhon talamh cha d' rinn mi car ach ag ùrnaigh

Gu faighinn aist'.

’S ged a bhithinn-sa gearain sa *Mhatakana* gam riasladh,

’S mi bhiodh toilicht’ an-ceartuair nam faighinn seans a dhol sìos innt’ –

’S mòr gum b’ fhèarr bhith ga stiùireadh, ’s an fhairge smùideadh na cliathaich,

Seach bhith seo mar a tha mi, ’s mi shuas gu h-àrd anns an iarmailt,

’S nach fhaigh mi às.

Nuair a ràinig i cala, bha gach dad ann an òrdan:

Cha robh feum air a ceangal, ’s ann rinn i laighe gu stòlda;

Chaidh mi staigh airson glainne ’s thug mi dalladh air òrain,

’S bha mi dannsa rim fhaileas mar fhuair mi nuas às na neòil

Gun aona *scratch.*

Nuair gheibh mise an triop seo seachad ’s a gheibh mi tastain ri chèile,

Thèid mi dh’Uibhist an eòrna, ’s gur ann air bòrd ann an tè dhiubh;

’S nuair chì iad i tighinn bidh iad a’ bruidhinn ri chèile,

’S iad ag ràidhtinn, “Seo Ruairidh, tighinn a-nuas às an airship,

’S chan eil e slac!”

Gur E Mis’ Tha Gu Tinn

B’e Fionnlagh Fionnlagh MacCoinnich, aig an robh Taigh-òsta Loch Baghasdail.

Gur e mis’ tha gu tinn ’s mi nam shìneadh san leabaidh –

Chan urrainn dhomh gluasad le bualadh nam chlaigeann;

Tha cràdh nam ghuaillean, nam chruachan ’s nam chasan,

’S mar chanas an sluagh, “Cha bhi Ruairidh ro fhad’ ann,”

’S na hì ho rò.

’S nuair thàinig an cràdh bha e sgràthail ri fhulang,

Mo fhradharc gam fhàgail, cha b’ àill leis e dh’fhuireach –

Gun toirinn mo bhriathran air beulaibh na cruinne

Nach eil san Roinn Eòrpa dh’fhuiling còmhla na h-uiread,

’S na hì ho rò.

Nuair thàinig an dotair, ’s e socair is fialaidh,

’S a sheall e air m’ aodann, bha m’ aogas cho cianail –

’S ann thuirt e, “’S e Fionnlagh a dh’ùraich am pian dhut,

’S mur sguir thu gun dàil dheth, ’s e d’ àite-s’ an t-sìorrachd,”

’S na hì ho rò.

Bha mi ’g èisteachd na thubhairt e ’s mo shùil air a fiaradh,

Mi sealltainn a-null air an ùrlar gu cianail

’S mi ’g ràdha rium fhìn, “Mar tha mi leis a’ phian seo,

Gun òlainn an-dràst’ dheth na dh’fhàgadh gun leus mi,”

’S na hì ho rò.

Bha mo mhàthair a-nuas anns an uabhas de chabhaig

'S gu faiceadh i Ruairidh 's gun uair aige maireann –

Nuair ràinig i suas 's ann a bhuail i na basan:

"Och, ochan, mo thruaighe, cha d' fhuair iad dhut sagart!"

'S na hì ho rò.

Thuirt mise 's mi 'n èiginn, "Dè feum a bh' air idir,

Is dùil a'm gun dàil ris an t-slàinte bhith tilleadh?"

Ach 's ann thuirt i, "A bhiast, cha do dh'iarr thu e idir.

Ach chì mise 's càch far an landar a-nis thu,."

'S na hì ho rò.

"'S nach ann bhios an nàire ma thàrras E nis thu,

Gun sagart an làthair, 's tu snàmh ann an spiorad.

Gu math 's gu bheil Fionnlagh 's a' chuideachd tha siudach,

Cha dèanadh iad ùrnaigh le dùrachd thu thilleadh,"

'S na hì ho rò.

Òran na Politician

Bha Ruairidh ag obair air *a' Pholitician* nuair a b' e an *Cabinet Minister* an t-ainm a bh' oirre. Chaidh i fodha air an treas latha dhen Ghearran 1941 faisg air Èirisgeigh 's i air a slighe à Liverpool gu Iameuca. Am measg na bha sna tuill aice bha 28,000 ceas ulsge-beatha. B' e Teàrlach MacColla oifigear na Cuspainn ann an Uibhist aig an àm.

Thàinig bàt' air tìr san àite seo –

'S e dh'fhàg mise fo mhìghean;

Fhuair mi aiste dram neo dhà,

'S e sin a dh'fhàg cho tinn mi;

'S mar a tha mi an-diùgh cho truagh,

Cha ghluais mi ach le dìcheall,

'S e na dh'òl mi dhan *Spey Royal*

Chuir am bròn air m' inntinn.

Chuala mi gu robh i ann

'S gu robh an t-àm dhol innte,

Is gu robh stuth innte gu leòr –

Bha brògan agus sìod' innte;

'S an t-uisge beatha mar bha an còrr,

Gach *brand* is seòrs' bha sgrìobhte,

'S ged bha an ola dhubh gu h-àrd,

Bha chuid a b' fheàrr gu h-ìseal.

Chaidh mi suas mar a rinn càch
’S gun dh’fhàg sinn pàirt dhiubh innte,
Is dùil a’m nach biodh guth gu bràth air
Gu robh am bàta millte;
Ach cha b’ ann mar sin a bha:
Chaidh brath gun dàil a dh’innse –
’S ann fhuair mi sumanadh bha garbh
Gam thoirt air falbh dhan phrìosan.

’S a Loch nam Madadh chaidh mi sìos,
Gam chur an iarainn cinnteach;
Cha b’ e seachdain ’s cha b’ e mìos –
’S ann gheibhinn bliadhna prìosain;
Bha gèidsear, ’s poileasman neo dhà
An-àird airson mo dhìteadh,
Ach a dh’aindheoin an cuid beòil,
‘S ann gheibh an Ròideag clìdhear.

’S ged a dh’fhalbhainn às a’ siud
Do dh’Inbhir Nis dhan phrìosan,
’S mi nach cromadh sìos mo cheann,
’S cha bhiodh dad ann de mhì-chliù;
’S mur b’ e cuid le luaths am beòil
’S cho deònach a bhith ’g innse,
Cha d’ fhuaireas grèim air duine riamh
Dhan tug deur air tìr aist’.

Thuirt MacColla ’n Taigh na Cùirt,
’S bha diombadh agam fhìn air,
Gum faigheadh iad air falbh i
’S nach robh a carago millte;
’S ged bha mi fhìn air bheagan tùir,
Co-dhiù bha fios a’m cinnteach
Nach gluaiseadh i às a sin gu bràth –
Gur ann san tràigh a chìt’ i.

’S ge b’ e choisicheas a-null
On Lùdaig, ’s ann a chì e –
Chì e sealladh dhith le shùil
Sa ghrunnd far bheil i sìnte:
’S e ’m *Politician* a tha ann,
’S car cam innte nach dìrich,
’S cha ghluais i às a siud gu bràth
Gu ’n tèid i bhàn na pìosan.

Ach ’s e dh’fhàg mi ’n-diugh fo ghruaim
’S a chuir an duan air m’ inntinn
Smaointinn air na gillean truagh
Thug a’ chuairt dhan phrìosan,
Bha cho onarach ’s gach àite,
Nach cluinn aig càch le mì-mhodh,
’S nach cualas riamh gu robh iad beò
Gu ’n bhuail i sròn air tìr ann.

Ach nam b' fhiach leam chuirinn sìos e,

'S cha b' e breug a dh'innsinn:

Cuid a fhuair aiste gu leòr

Dhan h-uile seòrs' a bh' innte,

A bha cho stràiceail anns gach dòigh

Is leòmach feadh na tìre –

Ach eistidh mi, 's cha chan mi 'n còrr

Mun *Pholly* chòir gu dìlinn.

S.S. POLITICIAN.

*"Thàinig bàt' air tìr san àite seo –
'S e dh'fhàg mise fo mhìghean;
Fhuair mi aiste dram neo dhà,
'S e sin a dh'fhàg cho tinn mi;"*

(Dealbhan à Taigh-òsta Loch Baghasdail, taing do Chalum MacAmhlaigh.)

Chì Mi Bhuam Far an Gluais an Eutrom

Chì mi bhuam far an gluais an eutrom,

An tìr as àille tha fo bhlàth nan speuran;

Chì mi bhuam far an gluais an eutrom,

Ged 's fhada bhuat mi 's mi 'n cuan na h-Èireann.

Ceud soraidh bhuam far a' chuain an-còmhnaidh

Dhan eilean àlainn a dh'àraich òg mi,

Far bheil mo bhràithrean a' tàmh le sòlas,

'S far cian a dh'fhàg mi mo mhàthair bhrònach.

Gur tùrsach truagh mi 's mi shuas ga stiùireadh;

Tha m' inntinn brònach 's na deòir bhom shùilean;

An t-eilean àlainn, mi 'n dràst' cur cùl ris,

Far 'n caidlinn sàmhach le tàmh gun chùram.

'S mun ruith an ùine bidh dùil a'm falbh ann

Le bàt' na smùide nach cùm droch aimsir,

Is b' e mo dhùrachd, ged smùideadh fairge,

Bhith nochd ga stiùireadh 's a cùrs' air Calbhaigh.

'S an uair a ruigeas i 'n cidhe tuath leinn

'S a bhios mo chàirdean gun dàil mun cuairt dhomh,

Bidh crathadh làmh – "Ciamar a tha thu, Ruairidh?

Nach math gun tàinig thu slàn far chuantan."

Òrain le Seumas Caimbeul

Seumas Caimbeul (as fhaide clì); Màiri Chaimbeul, Bean Eàirdsidh Sheumais (deas aig a' chùl);
Aonghas Iain Caimbeul (clì aig an aghaidh).

(Tasglann Comann Eachdraidh Uibhist a Deas. Fhuair iad an dealbh bho Dhòmhnall Ruairidh Caimbeul)

Òlaidh Mi Buileach

Òlaidh mi buileach – tha tuilleadh san stòp,
Deoch-slàint' dhan a' chruinneag bheireadh luinneag air òrain;
Òlaidh mi buileach – tha tha tuilleadh san stòp.

Gur sinn tha fo mhulad a-nochd oidhche Chullaig
Ag ionndrainn nan cruinneag a bha 'n-uiridh còmhla rinn;
Òlaidh mi buileach – tha tuilleadh san stòp.

Tha sinne gan ionndrainn aig àm na Bliadhn' Ùir' –
'S iad a dhannsadh air ùrlar 's theireadh smùid air na h-òrain;
Òlaidh mi buileach – tha tuilleadh san stòp.

Ach nuair thàinig na gillean gun do thog iad ar cridhe –
Bha Dòmhnall nam midhean, Aonghas Iain 's Iain Eòsaph;
Òlaidh mi buileach – tha tuilleadh san stòp.

Gun lìon iad na glainneachan 's thòisich ann tatharn;
Bha Ciorstag na cabhaig 's i aig *a' recorder;*
Òlaidh mi buileach – tha tuilleadh san stòp.

Bha *Grouse* ann, *White Label*, bha botal de *Haig* ann –
Cha chluinneadh tu fhèin ach "A Sheumais, gabh òran!"
Òlaidh mi buileach –tha tuilleadh san stòp.

'S gur ann a thuirt Alasdair, "Thalla, a Dhòmhnaill Antonaidh,
'S ruig Port na Clagaid 's tha *Tartan* gu leòr ann;"
Òlaidh mi buileach - tha tuilleadh san stòp.

Tha botal *Standfast* ann am falach san taidhear,
Ach feuch nach fhaic m' athair galabhantadh mun t-Stròm thu!"
Òlaidh mi buileach – tha tuilleadh san stòp.

Nuair a ràinig e mach cha robh botal no glainn' ann –
Bha bodach air fhaighinn 's bha e aige na phòca;
Òlaidh mi buileach – tha tuilleadh san stòp.

Ach cluinnidh sibh fhathast gu faigh sinn air ais e,
Gun òl sinne glainne sa mhadainn le sòlas:
Òlaidh mi buileach – tha tuilleadh san stòp.

Tombaca na Smùid

Tombaca na smùid a thogadh mo shunnd –

'S e chuireadh air chùl gach òinsealachd;

Tombaca na smùid a thogadh mo shunnd.

Tha an dotair a' cantail, "Nach feuch thu ri stad dheth –

Chan fheàirrde do stamag an ceò aige."

'S ged tha mi fo chràdh a dh'oidhche 's a là,

Gun gabhainn an-dràst' gu deònach e.

'S gun thòisich mi 'n toiseach nuair bha mi san sgoil,

'S nuair gheibhinn an oiteag bhiodh sòlas orm.

'S ann orm bhiodh an sunnd a' coiseachd dhan bhùth,

'S ged ruigeadh e crùn, cha sòrainn e.

Nuair bhithinn mun chladach ag obair nam fhallas,

'S e oiteag dheth ghabhail a chòrdadh rium.

Bha Ciorstag a' cantail, "Ma dh'fheumas tu stad dheth,

Chaidh ruig sinne leas a bhith beò agad.

"Nuair bhiodh tu gun bunan 's ann ort bhiodh an tuiream,

Gun char ach bhith siubhal nam pòcannan."

'S e mo dhòchas an-dràst' gu faigh mi nas fheàrr

'S gun gabh mi do chàch an t-òran seo.

"Bha Ciorstag a' cantail, "Ma dh'fheumas tu stad dheth,
Chaidh ruig sinne leas a bhith beò agad."
Seumas agus a bhean, Ciorstag, a' dèanamh dais feòir.
(Tasglann Dr Kenneth Robertson)

Òran an Tairbh

Gur ann tha 'n obair chianail san àite seo am-bliadhna,
Ruith a' bheathaich bhrèagha thug am Bòrd dhuinn;
'S bidh cuimhn' agam gu sìorraidh an damaiste 's an riasladh
A bha aca nuair a dh'fheuch iad an ròp air.

Bha Dòmhnall rium ag ràdh, on thàinig e dhan àite,
Nach d' fhuair e fois no tàmh ach ri shròin-san –
Cha ghabh e chur dhan bhàthaich, chan fhàg e anns a' phàirc e
Mun ruig e air an t-snàmh an Sruth a' Chòmhraig.

Gur ann thuirt Màiri Ruairidh gum b' fheàrr dhuinn fada bhuainn e
Seach bhith ga ruith mun cuairt air an dòigh seo;
Gun tharraing e Diluain 's chuir e earball air a ghuaillean –
Cha d' stad e gus an d' chuir e cuairt air na cròitean.

Nuair thàinig e gu Seumas cha d' fhuair e dad a dh'fheum ann –
'S ann thòisich e air èigheachd 's air bòilich;
'S e th' ann ach beathach cearbach – mun dèan e sinn a mharbhadh,
Gun feumar chur air falbh chun an Òbain.

Bha Seasaidh 's i fo chùram nuair a leig i 'n cù ann –
'S ann thòisich e air stiùiceadh 's air gnòsdaich;
Bha Seumas air a cùlaibh is esan e air a ghlùinean,
'S gun thòisich e air ùrnaigh gu tròcair.

'S ann air bha 'n coltas fiadhaich nuair chuir e cheann air fhiaradh
'S a tharraing e dhan iar – cha b' e spòrs bh' ann;
Gum b' fheàrr nach fhacas riamh e, cha bheir sinn air gu sìorraidh,
'S a h-uile duine riamh 's iad a' cnòdan.

Ach tha 'm posta 's e cho gleusta, gun tarraing e leis fhèin e –
Gun do ghabh e staigh na *lane* 's e cho eòlach;
Gun deach e leoth' air èiginn aig taigh Peigi Aonghais Sheumais
'S gun tug e mach leis fhèin e gu dòigheil.

Ach 's ann tha an gnothach nàr, 's iad gun sìon a bheir iad dha,
Ach feuch gun deach guàna gu leòr air;
Cha chan mi 'n còrr an-dràsta, ach bidh Scott ga ruith a-màireach,
'S gu cinnteach gheibh e sràcan aig Dòmhnall.

Gur ann tha 'n obair chianail san àite seo am-bliadhna
Ruith a' bheathaich bhrèagha thug am Bòrd dhuinn,
'S bidh cuimhn' agam gu sìorraidh an damaiste 's an riasladh
A bha aca nuair a dh'fheuch iad an ròp air.

Chunnaic Mi 'n t-Each Bàn na Ònar

Chunnaic mi 'n t-each bàn na ònar,

    'S e na laigh' air Rubh' an Eòrna;

Chunnaic mi 'n t-each bàn na ònar.

'S ann bha air a dhòigh ach Iagan
Nuair a shuidh' e anns an dìollaid –
Gu robh càch 's iad ris a' griasadh
Feuch nach ruig e sìos air Bòrnais.

'S ann a labhair e gu fialaidh:
"Bheil sibh smaointinn g' eil e fiadhaich?
Nuair a thèid am but na bheul,
Cha dèan e sìon ach mar as còir dha."

'S ann a dh'èigh iad air Buchanan,
"Thig a-nuas an seo gu h-ealamh!
Bha thus' eòlach air bhith marcachd
Ann an Smèircleit nad òige."

Thàinig an sin Dòmhnall Ruairidh
'S thòisich e air tighinn mun cuairt air,
Feuch am faigheadh e a thoirt bhuaithe
Gus bhith toirt a-nuas na mònadh.

Bha thu eòlach air an trèanadh
'S air an crùidheadh ans a' cheàrdaich –
Chuala mi aig Dòmhnall Bàn
Nach robh na b' fheàrr anns an Roinn Eòrpa.

'S thuirt an Dotair MacIllEathain,
"Tha mi smaoineachadh gu fan e;
Thig mi fhìn thuige le eallach
Anns a' mhadainn air an ròpa."

'S gu robh am posta fhèin ag ràdha,
"'S math gun tàinig e dhan àite –
Bidh e falbh againn a-màireach
Leis a' mhàileid dhan Taigh-Stòdhair."

Ma dh'fhanas e dad a dh' ùine

Cha bhi dad oirnn a chùram;

Bidh e againn mun Bhliadhn' Ùir

A' dol a-null leis dhan taigh-òsta.

'S e bhiodh sunndach tilleadh dhachaigh

Chun an àite dhan do chleachd e,

'S bidh e smaointinn dè tha tachairt

Ma bhùth Ailein 's ma thaigh Dhòmhnaill.

Ach air latha grod is fiadhaich

Thàinig sneachd air a bha cianail:

Dh'fhàg e soraidh slàn aig Iagan

'S tharraing e dhan iar gu dòigheil.

Ged a rachadh e dhan Ìochdar

'S às a sin a dhol a Ghriomasaigh,

Bidh e cuimhneachadh gu sìorraidh

Air a' bhliadhna bha e còmh' rinn.

An Dotair Alasdair MacIllEathain agus "an t-each bàn" air an robh an t-ainm Silver air Taobh a Deas Loch Baghasdail.
(Tasglann Dr Kenneth Robertson)

Òrain le Iain Caimbeul

"Dh'fhàg mi soraidh le mo chàirdean,
'S mi dol a-null thar sàile,
Gun fhios gu bràth an tachair sinn;"
Iain Caimbeul agus a bhean, Mairead.
(Dealbh le Claire Dangerfield.)

Soraidh Bhuam thar Sàile

Soraidh bhuam thar sàile
Gu Uibhist nam beann àrda,
Far bheil an nìonag a' tàmh
Dh'fhàg mi fo phràmh bho dhealaich sinn;
Soraidh bhuam thar sàile

'S ann madainn mhoch Dimàirt
Dh'fhàg mi soraidh le mo chàirdean,
'S mi dol a-null thar sàile,
Gun fhios gu bràth an tachair sinn;
Soraidh bhuam thar sàile

Sa *Wharanui* bhòidheach,
Nuair fhuair sinn i an òrdan,
B' e sealladh brèagh' i seòladh
'S i falbh air bhòids a 'Ràilia;
Soraidh bhuam thar sàile

Dol sìos tro Abhainn Chluaidh, gu robh
Sealladh mòr mun cuairt oirnn,
Gach fear 's a lass ri ghualainn –
Ach b' fhada tuath mo leannan-sa;
Soraidh bhuam thar sàile

'S nuair thug am meat an cùrsa,
Dhan iar-dheas bha i stiùireadh,
Na deòir gun d' ruith bhom shùilean,
'S gun dùil a'm tilleadh dhachaigh innt';
Soraidh bhuam thar sàile

'S gur mise tha gu tùrsach
Ga cumail air a cùrsa,
'S a' mhuir a' falbh na smùide
'S i toirt a cùl ri Ealasaid;
Soraidh bhuam thar sàile

'S, a nìonag dhonn an òr-fhuilt
Tha 'n Uibhist ghorm an eòrna,
Nam faighinn thu rid phòsadh,
Chan iarrainn stòr na fearann leat;
Soraidh bhuam thar sàile

'S nuair thèid thu mach Dìdòmhnaich,
Chan fhaic mi aon cho bòidheach –
'S tu flùr am measg nan òighean
Dìdòmhnaich dol a Dhalabrog;
Soraidh bhuam thar sàile

’S gur math thig gùn dhen t-sìoda
Air d’ phearsa dh’fhàs cho sìobhalt’,
’S nuair gheibh mi thìr Van Diemen
Cha sòr mi phrìs ga cheannach dhut;
Soraidh bhuam thar sàile

’S their cuid gu bheil mi gòrach
Is tric sna taighean-òsta –
A ghràidh, gun cumainn lòn riut,
Ged ghabhainn stòp aig amannan;
Soraidh bhuam thar sàile

’S ma gheibh mi fhìn mas miann leam
An Tìr nan Geug am-bliadhna,
Gun till mi null gad iarraidh,
’S na dìochuimhnich do ghealladh dhomh;
Soraidh bhuam thar sàile

Gu Uibhist nì mi seòladh –
’S e tìr mo ghaoil is m’ òige,
Far ’n cuir mi fàinne-phòst ort
Le òrdan Mhaighstir Alasdair;
Soraidh bhuam thar sàile.

Òran a' Bhowlingbrooke

Soraidh leat, a Dhòmhnaill Ruairidh,
Leam is truagh a bhith gad fhàgail,
'S tu tilleadh gu Tìr an Eòrna
Far an robh sinn òg nar pàistean;
B' e mo dhùrachd a bhith còmh' riut –
Fàth mo bhròin, chan eil e 'n dàn dhomh,
'S mi seòladh gu Tìr nan Ùbhlan
Far a bheil mo rùn-sa tàmh ann.

Nuair a ruigeas tu 'n cidhe tuath
'S a chruinnicheas iad mun cuairt cur fàilt' ort,
Bheir mo shoraidh-sa gan ionnsaigh,
'S biodh i dùbailte gu pàirt dhiubh;
Nuair a thèid thu suas gu Fionnlagh,
Ged nach eil an leann ro àraid,
'S truagh, a Rìgh, nach mi bha còmh' riut,
'S gum biodh againn stòp no dhà dheth.

'S gum bi Alasdair MacDhòmhnaill
A' faighinn air dòigh a bhàta,
'S bheir e 'n t-aiseig a-null dhut
'S cha bhi dùil aige ri pàigheadh;
'S mar bi m' motar ann an òrdan,
Gur math a nì seòl na àite,
'S cuiridh Iagan Theàrlaich dòigh air
Gun dhol dhan Òban ga chàradh.

'S e seo an triop ma bheil mi sgìth –
Gu bheil droch shìd' againn on dh'fhàg sinn,
Tighinn ron Chuan an Iar sa gheamhradh
'S i cho trom le carago gràn innt';
Gu bheil na bancaichean cho gruamach,
'S deigh mun cuairt orr' anns gach àite,
'S mur bi còmhdach air do chluasan,
Leis an fhuachd gu reòth am bàrr dhiubh.

'S e bhith tomhas leis a' luaidhe
Dh'fhàg gach uair mo ghuaillean cràiteach –
Mar biodh i mach air feadh na seachdain,
'S cinnteach bhiodh i mach air 'n t-Sàbaid;
'S mòr gum b' fheàrr bhith togail fhaochag,
Ged a shaoilte gum bu nàr e,
Na bhith nochd san oidhche gheamhraidh
Measg nan Gall san 'C. P. R. boat'.

'S gura bliadhna leam gach uair
Gu 'n till i 'Chluaidh ma tha e 'n dàn dhi,
'S gu faighinn mo phoc' air tìr,
'S mòran ga dhìth on dh'fhàg sinn;
Aig na proigs a tha gu h-ìseal,
'S gur e mheàirle chuir innte pàirt dhiubh,
'S ma chanas daoine nì riutha,
'S cinnteach 's e sgrìob dhen ràsar.

An còcaire 's e cho salach,
Fairichidh sibh air astair fhàileadh –
An àm èirigh anns a' mhadainn,
'S e taobh an fhuaraidh as fheàrr dheth;
Fear eile anns a' gheilidh
Ris an abair iad am bèicear –
Tamhasg eile 's car na shùilean
Gus bhith rùsgadh a' bhuntàta.

'S chan iongnadh mise bhith truagh dheth,
Meat ma chuairt orm 's gach àite,
Boinne fuar a' ruith o shròin
Is paidhir bhrògan air gun sàilean,
Briogais air am feum a fuaigheal
'S i air a cumail suas le tàirnean,
On bha e òg sa chuaraidh
Mun do ghluais e o Cheann Phàdraig.

Ach tha gillean gasta ron chrann
An Tìr nam Beann a fhuair an àrach:
Alasdair Ruairidh is Iain Stiùbhart
A nì a stiùireadh dhachaigh sàbhailt';
Nuair a thèid sinn sìos gu h-ìseal,
Dh'aindeoin sgìths gun dèan sinn gàire,
Naidheachd aig gach fear ri innse
Man t-soiree a bh' ann mun dh'fhàg sinn.

'S iomadh fear le briogais ghlùin
Thèid gu ùrlar gu math stràiceil
Tha cuir sìos air fear na mara
Tha cosnadh arain gu math àmhgh'rach;
Ach nam biodh pàirt dhuibh 'n iar air Tòraigh
Anns a' *Bhowlingbrooke* an-dràsta
Cha bhiodh sannt ac' air am biadh,
Na idir feuchainn air a' Charleston.

O feiridh mi mo dhuan gu crìch –
'S truagh leam innse mar a tha sinn
Bhon theirig an t-aran 's an t-ìm dhuinn –
'S fhad' o nach robh 'n tì san làthair;
Cofaidh dhubh is i gun siùcar,
'S gu robh cho math leam sùgh nam bàirneach;
Chan eil feum a dhol gu Stiùbhart –
Fhuair sinn na bha *due* Dimàirt dhuinn.

Òran a' *License*

"Chaidh mi sìos an Dòmhnaich a bha seo a Lyttelton. Cò bha ann a shineach ach mac Phadra' Steele agus Calum mac Thormoid Iain agus feadhainn eile. Ghabh sinn dram na dhà – cha robh tuilleadh 's a' chòir againn – agus air an rathad, nuair a ràinig mi Christchurch, bha mi dìreach gus a bhith aig an taigh nuair a thuit mi nam chadal dìreach air oidhche Dhòmhnaich agus ghlac iad ann a shin mi. Agus chaidh mo chur a-staigh. Bha mi ceithir latha ann agus chaill mi an license airson ochd mìosan deug. Agus rinn mi an t-òran a bha seo do Dhòmhnall mac Thormoid Iain, ag innse dha mar a thachair dhomh agus cho mì-fhortanach 's a bha mi. Am fear a bha sa chùirt, dh'fhàg e dìreach cho dona 's a b' urrainn dha mi. Seo mar a dh'èirich dhomh co-dhiù."

O mo nighean donn bhòidheach nan gorm-shùil meallach,
    'S truagh nach robh mi còmh' riut ged bhiomaid falamh;
O mo nighean donn bhòidheach nan gorm-shùil meallach.

Siud na gillean còire thachair orm Didòmhnaich:
Gille Ruadh is Pòl is Dòmhnall agus Calum.

'S thòisich sinn air òl, 's bu daor a bha sin dhòmhsa –
Fhuair mi briogais mhòilsgin 's brògan 's iad gun bharaill.

'S chaidh an dram nam cheann 's gun dh'fhàs an rathad cam –
Bha an càr a-null 's a-nall, 's gun bhuail mi ceann a' bhalla.

'S thàinig fear nam putan, 's ann a bha an rucan –
Chuir e dhan taigh-dhubh mi measg a h-uile galla.

'S chaidh mi thaigh na cùirte 's sheas mi anns a' chùbaid –
'S mise bha gu tùrsach, 's cha robh sunnd air m' aire.

'S thuirt am bodach liath, 's e coimhead orm le mìothlachd,
"Bidh ochd mìosa deug mus stiùir thu sìos dhan bhaile."

'S mise tha fo ghruaim, 's mi seo san t-seòmar fhuar,
'S chan fhan a' bhriogais suas on thug iad bhuam na gaileis.

'S leaba chruaidh dhan iarainn, pucaid agus mias,
Is searbhadair gun siabann, 's a' phoit liath gun chasan.

Ag èirigh aig a sia, 's am fuachd gu robh e cianail,
'S cràiteach a bha 'n fheusag 's gun an siabann agam.

'S fhuair mi ràsar maol, 's gur fhad' o nach deach faobhar air –
Bha 'n fheusag ga slaodadh is m' aodann ga ghearradh.

'S bha meàirlich na dùthcha còmhla rium sa phunnda,
'S nuair a rinn mi dùsgadh gu robh 'n spliùchdan falamh.

'S tha na brògan trom le tacaidean nam bonn,
A' treabhadh anns a' pholl 's a' lìonadh tholl le bara.

'S shuidh sinn aig ar biadh mar bhrùidean air an t-sliabh,
An fheòil gu robh i liath, 's cha dèanadh sgian a gearradh.

Sin agad, a Dhòmhnaill, mar a dh'èirich dhòmhsa –
Innsidh mis' an còrr dhut an àm bhith 'g òl an leanna.

Iain Caimbeul "Jack" agus a bhean, Mairead "Peg" ann an Sealainn Nuadh.
Dealbh le Claire Dangerfield.

'N Àm Bhith Fàgail Doc a'Phrionnsa

Mo nighean donn as binne guth

 Gur mòr an gaol a thug mi dhut,

Mo chaileag dhonn nam meal-shùilean,

 Bu mhath leam a bhith rèidh riut.

'N àm bhith fàgail Dock a' Phrionnsa,

Bha na deòir a' ruith om shùilean,

Bhith ri seòladh gu Bhancùbhar,

Bhith toirt cùl rim eudail.

Loch a' Chàrnain dh'àraich òg thu,

Eilean Uibhist ghorm an eòrna –

'S truagh a-nochd nach sinn bha còmhladh,

Còir agam on chlèir ort.

Ged a chanadh luchd na bòilich

Riutsa, ghaoil, gu robh mi gòrach –

Ach nam bithinn 's tusa pòsta

Cha bhiodh òr no èis dhuinn.

Nuair a thèid mi chon na cuibhle,

Cha bhi for agam air cùrsa,

Smaointeachadh gach uair dhen ùine

Bhith tighinn dlùth rim eudail.

Ach nis crìochnaichidh an dàn sa

Ann an dòchas tha ro làidir

Mìos o nochd bhith còmh' rim ghràdh,

Sinn coiseachd Sràid Iameuca.

Òrain le Aonghas Iain Caimbeul

Aonghas Iain Iain a' Chlachair 1965.
(Tasglann Dr Kenneth Robertson)

Briogais Sheonaidh Clark

"Tha òran agam ann an seo a rinn mi do bhodach aig an robh bùth a-muigh ann an Loch Baghasdal ris an canadh iad Seonaidh Clark. Agus cheannaich mi briogais bhuaithe agus bu shuarach cho math 's a bha i. Cha robh i cho math 's a bha dùil agamsa a bhiodh i co-dhiù, agus mar sin rinn mi òran. Cha b' ann ga fìor chàineadh buileach a bha mi idir, ach aig an aon àm cha b' urrainn dhomh fuireach sàmhach leis cho goirid 's a mhair i, 's rinn mi an t-òran mar a leanas."

Do bhriogais-sa, Sheonaidh Chlark, cha robh i math gu firinneach –
O, 's ann a dh'fhalbh i bho na gaileis, 's cha do dh'fhan ach pìosan dhith;
Ged a dh'fhalbhadh i om chuid àrd, cha bhiodh mo nàire dhìth orm,
Ach smaointich thusa nist ort fhèin an uair a thrèig an t-ìseal mi.

'S nuair a chaidh mi air ga h-iarraidh, 's b' ann am briathran sìobhalta,
Leag e nuas dhomh trì na ceithir agus diofar prìseadh orr',
'S thagh e fhèin an sin tè dhòmhsa, 's bu dòigheil rinn e innse dhomh
Gun cùram a bhith orm nach mair i bhon tha *guarantee* leatha.

'S nuair a fhuair mi umam suas i, 's mi bha uallach inntese;
Bha cuid a chanadh "Meal is caith i", 's chanainn "Tapadh leibhse" riuth';
Ach nan robh fios agam mar bha, 's cho beag de stàth 's a bh' inntese,
Gum b' fheàrr leam fada bhith air òl nam shuidh' aig bòrd is pinnt agam.

Dh'fhalbh na putain às an àite 's thug iad làn dhan aodach leoth';
Dh'fhàg iad tuill an siud nan àit', 's nan càradh gun robh saothair ann;
'S nuair a dh'innseas mi mar bha mi, creididh pàirt, math dh'fhaodte, mi –
Mur b' e saoiread nan tairnean 's fhad o bha i slaodadh rium.

'S an seòrsa phòcanan a bh' ann, gun mheall iad, 's cha b' ann aon uair, orm:
Nuair a thigeadh orra toll, 's e 'n call a bh' agam daonnan unnt' –
Cha bhiodh pìob agam air sgeul, 's bu riaslach às a h-aonais mi,
Tombaca no maidse no sgian, 's gun sgeul a'm air a h-aon aca.

Ach nuair a chluinneas sibh an t-òran, bidh gu leòr a' smaoineachadh;
Tha cuid a their gu bheil mi gòrach, 's mòran ac' a dh'fhaodas e,
Nach d' fhuair mi fhèileadh, 's bidh e buan, 's ged bhiodh e fuar cha saoilinn dad –
Bu duilghe leam air feadh na sgothadh gnothaichean bhith slaodadh rium.

A' Chorra-Ghritheach

"Bha mi ann am bàta an Loch Baghasdal ag obair, 's bhrist an t- einnsean aice sìos. Agus cha robh innt' ach mi fhìn 's an sgiobair agus bodach eile ris an cante Mìcheal mac Dhùghaill. Agus cha ghabhadh an t cinnsean aicc càradh an seo idir. Dh'fheumadh i falbh gu tìr- mòr. Agus thàinig tugboat ga h-iarraidh Latha Chullaig, seach latha sam bith, gu mì-fhortanach.

Agus loisg an sgiobair an latha ron a sin air corra-ghrithich thall anns a' bhàgh. Agus gu mì-fhortanach dhith fhèin mharbh e i. Agus chaidh e null 's thug e leis i.

Agus dh'fhalbh sinn Là Chullaig ann an tow aig an tugboat a bha seo. Agus bu shuarach cho math 's a bha sin a' còrdadh rinn Latha Chullaig seach latha sam bith. Ach co-dhiù dh'fhalbh sinn. Agus thoisich mise a' dèanamh an òrain mar a leanas."

'S nach damaite mar thachair dhuinn, nach damaite seo, Mhìcheil,

Mar rug i oirnn bradach a' dol tarsaing air an sgrìob seo;

Nuair fhuair i mach gu fàrsaingeachd, 's a hàsaran gan sìneadh,

Nach bu mhath dhomh bhith air tìr aig a' phinnt mar a b' à'aist.

'S a Rìgh, 's ann orm tha 'n t-aithreachas gun charach mi o thìr innt',

A' fàgail nan cladaichean 's a' tarraing air Cinn Tìre,

'S mas e 's gun cuir i car dhith, tha sinn fadalach, a Mhìcheil,

Gu ùrnaigh bheag chur sìos airson sìth air ar sgàth.

'S dol a-null gu Canaigh gu robh ise gearradh shìnteag,

'S i null 's a-nall is car innte, 's chan fhanadh ise dìreach,

'S an t-eagal bha gam dhalladh, ged nach canainn e ri Mìcheal,

Gu rachadh i gu h-ìseal 's nach dìreadh i 'n-àird.

Cuimhneachan air Seonaidh Clark agus a' bhùth aige. c. 1910.
Thàinig Seonaidh às an Eilean Sgitheanach a dh'Èirisgeidh far an
tugadh am far-ainm 'Iain Dubh nam Bròg' air.
(Tasglann Taigh Chanaigh; Cruinneachadh Linda Gowans; Cruin-
neachadh Chailein MhicIllEathain.)

Bha 'n sgiobair anns an deireadh aice, 's cha bu bheag a bh' air a chùram –
'S e rud nach robh ga fhreagairt an àirde deas bhith fàs dùmhail;
Bu mhòr a' chulaidh-eagail dha, mura greasadh ise null leinn,
Gum biomaid air ar cunntais sa ghrunnd far nach tràigh.

Nuair ràinig sinn Caol Muile bha i uile gu math fiathar,
Leigeadh às an t-acair is an t-acras air ar feuchainn;
'S bha botal anns an t-seòmar, 's gun dh'òl sinn e le fialachd,
'S bha gog aige dol sìos is chan iarrainn-s' ach à.

Bha corra-ghritheach againn air a' phasaids gus bhith cinnteach –
Nan teirigeadh na rations dhuinn, bu mhath dhuinn againn innt' i;
Tha sitheann air a carcas, 's cha bhith acras oirnn, a Mhìcheil,
'S tha giaban 's rudan innte nuair sgrìobas tu à.

'S e Fionnlagh Mòr tha sona, 's e toilicht' gun deach crìoch oirr':
"Ise, nighean an donais, 's iomadh cron a bha i dèanamh;
Na bric a bh' air na lochanan 's i coimhead air a fiaradh –
Cha d' fhàg i iad gu sìolachadh, dh'iasgaich i àd."

'S nuair thugadh dhith an amhach, sin nuair labhair Mìcheal:
"Seo an tè nach maireann, tha mi 'g aithneachadh a cìrein.
Bhiodh i thall againne sa chladach bho chionn linntean –
'S math tha fios a'm fhìn far am bitheadh i sa bhàgh."

Spìon sinn is ghlan sinn i cho math 's a ghabhadh dèanamh,
Nigh sinn is dhàth sinn i, 's bha lainnir às a cliathaich;
Bha mòran innte ghnothaichean, bha bloinig a bha fiadhaich,
'S e chuid a b' fhaide shìos a b' fhiadhaiche bhà.

Nuair ràinig sinn an t-Òban cha robh feòil ann airson dinneir –
Siud Mìcheal 'm bad an teine, 's chuir e air a' chorra-ghritheach;
Ach nuair a bha i deiseil, culaidh-eagail a bha innte –
'S ann dh'fhairich siud mo chìdhlean 's iad inntese 'n sàs.

Ach buannaichidh an *dentist* air, ma thachras e gun till sinn –
Feumar fiaclan fhaighinn, chionn cha chagainn iad seo bìdeag,
Mar dh'fhuasgail iad bhon chàirean gu h-àrd is gu h-ìseal,
'S tha feadhainn dhiubh gam dhìth mur th' ann inntese tha 'd.

Ach dh'fheuch sinn 'n sin air Glaschu is ghabh sinn thro Chaol Ìle,
Às a sineach tarsainn 's i ga ghearradh gu Cinn Tìre;
Ach thug i sinn gu caladh 's chuir sinn hàsairean gu tìr aist',
'S tha sinn a-nist clìdhear 's ag innse mar bha.

'S nuair thill sinn gu Loch Baghasdail, bha aghannan gun ghruaim rinn:
"Tiugnaibh airson drama 's gura math nach deach ur fuadach
Le leithid sin de chrannalach a' tarraing chun a' chuain leath' –
B' e siud a' chulaidh-uabhais a' gluasad gu sàl."

149

Is còmhla ris a h-uile rud, 's e buileach bha gam lèireadh

Ma bhios a' bhean na banntraich 's a' chlann is iad nan èiginn,

Ach cumaidh Iain Pheadair iad, cha bhi eagal 's cha bhi beud dhaibh,

'S bidh ise na diol-dèirce leatha fhèin 's i gun bhlàths.

Alasdair Fhraochain (Sandaidh a' Chidhe) à Loch a' Chàrnain agus Aonghas Iain Iain a'
Chlachair air cidhe Loch Baghasdail.
(Dealbh le Cailean MacIllEathain)

Òran le Iain Caimbeul, Iain Sheumais
Iain mac Dhòmhnaill 'ic Iain Bhàin

Iain Sheumais Caimbeul air Taobh a Deas Loch Baghasdail.
(Dealbh le Màiri Anna Chaimbeul.)

151

Ruaidheabhal

Tha leth-cheud bliadhna 's an còrr
Bhon thàinig mi dhan àit' seo,
Nam sheasamh mar gheàrd air mo chòir,
Is mi smaointinn an-dràsta
Air iomadh latha làn gàire
Is cuideachd bha feadhainn làn dheòir.

Tha mo shùil air gach pàrant
A' togail teaghlaich san àite,
'S mi gam faicinn gan àrach bhon òig',
Cuid dhiubh togail thar sàile
'S faighinn obair 's gach àite
'S a' toirt moit staigh dhan àit' air gach dòigh.

Chì mi gach latha, eadar Barraigh 's an t-Ìochdar,
Mach cladach Hiort agus tarsainn an iar-chuain;
Chì mi bàtaichean mòr a-null thairis a' trialladh
Agus iasgairean cosnadh an lòin.

Chi mi lachainn is craìdh-gheòidh
A' snàmh shìos mun Chàrnan
Is ealachan snàmh air Loch Bì;
Chi mi brìdean is steàrnan
Tha ruith feadh na tràghad,
Is an iolair' air iteig gun strì.

A-nochd i cho sàmhach,
Faicinn rionnagan àlainn
A' deàrrsadh mar ghrìogagan òir;
A ghealach 's i slàn, is
A faileas san t-sàile –
B' e sin seallaidh àlainn fìor Ghlòir.

Chì mi Taigh-solais Heidhsgeir
Daonnan lasadh tron oidhche,
Stiùireadh ghaisgeach air chùrs' mar as còir,
'S mi 'g èisteachd tonnan na mara
A' sruthladh 's a' tarraing,
A bhios a' bualadh sa chladach na dhòigh.

Ach taing nis do Ruaidh'bhal
A chum mi dìon is slàn,
Is taing chon duine-uasal sin
A thug mi staigh dhan àit';
Is taing a' dol do gach duine dhuibh
Tha 'g ùrnaigh rium 's gach ceàrn –
Gun tachair sin ri chèile
Ann am Flaitheanas aon là.